COLLECTION
FOLIO/THÉÂTRE

Jules Romains

Knock

ou

le Triomphe de la Médecine

Édition présentée,
établie et annotée par
Annie Angremy
Conservateur général
à la Bibliothèque Nationale de France

Gallimard

PRÉFACE

Créé le 14 décembre 1923 à la Comédie des Champs-Élysées et magistralement interprété par Louis Jouvet, Knock *connut un succès immédiat, qui ne s'est jamais démenti. Succès quasi mythique qui fait de cette pièce écrite en quelques semaines par Jules Romains une pièce-phare du répertoire comique et qui plus est un classique de la langue française, pour des milliers d'écoliers de tout pays qui sauront à jamais le subtil distinguo entre* gratouiller *et* chatouiller.

Lorsque les tirades deviennent des dictons — « Tout homme bien portant est un malade qui s'ignore » —, lorsque le rôle-titre devient le symbole d'un type d'hommes, à la mesure d'un Don Juan ou d'un Don Quichotte, lorsqu'une pièce enfin, parfaitement bien située dans son époque, les années 1920 et les débuts de l'automobile, garde et amplifie trois quarts de siècle plus tard sa féroce actualité et son comique grinçant, comment expliquer une réussite aussi exemplaire ?

Jules Romains lui-même était loin de s'attendre à un tel triomphe. Avec son metteur en scène-interprète, Louis Jouvet, tous deux seront poursuivis leur vie durant par le rappel, parfois lancinant, de cette comédie qui n'était au fond, pour l'un comme pour l'autre, qu'une allègre passade, un délassement entre de plus nobles entreprises. « Pièce phœnix, pièce

Saint-Bernard », proclamera Jouvet qui reprendra Knock *chaque fois que les finances de sa troupe seront au plus bas et reconnaîtra avoir grandement bénéficié dans sa carrière d'acteur de ce passage par un rôle « me libérant de toute une lignée — tout un atavisme de personnages plus ou moins ataxiques — auxquels je ne sais quelle étrange syphilis dramatique m'avait condamné ». (Lettre à Jules Romains, 22 janvier 1924.) Pour Jules Romains, l'effet sera peut-être parfois plus déconcertant, voire exaspérant, non pas que le succès de* Knock *ait entravé la montée d'une œuvre foisonnante et diversifiée, comme ce fut le cas pour Edmond Rostand, à jamais déstabilisé, semble-t-il, par son* Cyrano. *Mais le poète de l'unanimisme de la première heure, le dramaturge hanté par le théâtre en vers et certaines résonances plus tragiques d'une société en mal de vivre, plus tard le romancier des* Hommes de bonne volonté, *ou le vieux chroniqueur de* L'Aurore, *infatigable essayiste, resteront à jamais ignorés de tout un pan du grand public, pour lequel n'existe que l'auteur de* Knock, *comme Corneille est celui du* Cid. *Vision singulièrement réductrice, saisissant raccourci d'un parcours que l'on peut qualifier d'initiatique, tout imprégné de cet unanimisme qui porte en germe l'essentiel de l'œuvre jusqu'en 1945,* Knock *y compris.*

LES DÉBUTS : KNOCK AU VILLAGE

Il faut donc revenir sur ce cheminement intellectuel qui procura à Jules Romains en 1923 une notoriété que ses écrits antérieurs avaient assise sur de tout autres bases. Il a alors trente-huit ans. De son vrai nom Louis Farigoule, né en août 1885 à Saint-Julien-Chapteuil, dans la Haute-Loire, de parents tous deux originaires du Velay, c'est pourtant un enfant de Paris, grandi à Montmartre où son père est instituteur. Il restera toutefois profondément attaché à ses racines provinciales, à ce pays natal où le ramènent les vacances scolaires et où il renoue avec ce milieu âpre et chaleureux de la paysannerie montagnarde. Son œuvre se ressentira de cet amour profond de la terre et de cette connaissance quasi entomologique de l'esprit paysan, d'une certaine méfiance mâtinée de ladrerie dont il se gaussera aussi bien dans ses premiers récits d'adolescent que dans Knock *ou certains tomes des* Hommes de bonne volonté. *La situation même de Saint-Julien-Chapteuil, chef-lieu de canton montagnard, à dix-huit kilomètres de la grand-ville, Le Puy, que l'on atteint par une route peu fréquentée, déroulant un superbe paysage, incitera souvent les exégètes à trouver là le prototype de Saint-Maurice. Tout en se défendant d'une source d'inspiration trop prosaïque, force sera à l'écrivain de convenir : « que Saint-Julien-Chapteuil, avec son jour de marché, son tambour de ville, sa pharmacie, avec son ou plutôt ses auberges, m'ait aidé à faire de Saint-Maurice une idée familière et vivante, c'est possible ». (*Ai-je fait ce que j'ai voulu ?, *p. 64.)*

Knock *ne doit pas seulement l'extraordinaire rendu de son atmosphère au bourg natal de son créateur. C'est sans doute dans les veillées traditionnelles au coin du feu que Louis a entendu, parmi les contes que l'on égrène, celui du jeune médecin de campagne qui joue de la crédulité de ses patients et, pour prouver ses dons et attirer la clientèle, propose de ressusciter un mort... en vain : nul n'a envie de voir resurgir l'être cher qu'il pleure. Histoire que l'écolier de troisième au lycée Condorcet reprendra à son compte dans une rédaction « Miracle du médecin », en y ajoutant (est-ce une note personnelle ?) l'intervention du tambour de ville.*

Avant de se nourrir des convictions les plus intimes de

l'écrivain sur l'aura des meneurs d'hommes, le charisme de Knock procède peut-être de celui de ce jeune médecin et de celui de saint François-Régis, le grand saint du Velay, évoqué dans Journées dans la montagne *(tome XXI des* Hommes de bonne volonté*), prêtre ardent, désireux de reconvertir son pays tombé dans le protestantisme, et qui mourut à la tâche, laissant les cantons parsemés de villages protestants, singulière carte de la pénétration religieuse due à la foi obstinée d'un prêtre missionnaire, qui vaut bien « la carte de la pénétration médicale » due à la méthode illuminée d'un médecin démiurge.*

SCIENCE ET CANULARS

Mais Paris reste le port d'attache de la famille Farigoule. L'école communale où son père enseigne, le lycée Condorcet, l'École Normale Supérieure : le jeune homme suit la voie traditionnelle de cette « génération intellectuelle », fils d'instituteur, fleurons de l'école laïque. C'est le temps des canulars chers aux normaliens, et Louis Farigoule se montre orfèvre en la matière. Rue d'Ulm, il fignole une vraie fausse visite médicale d'entrée à l'École, imposée aux bizuts terrorisés. Déguisé en médecin comme ses comparses, il concrétise en quelque sorte une partie de ses aspirations protéiformes, puisque loin de se cantonner à la préparation de l'agrégation de philosophie, il passe en 1908 une licence de sciences et choisit un sujet de biologie pour son Mémoire d'études supérieures, « l'état " individu " dans la matière vivante ».

Tout problème concernant la formation de groupes, et les formes de passage, dans les deux sens, entre le groupe et l'individu, est essentiel à la pensée unanimiste. Et mon étude, qui portait principalement sur quelques végétaux inférieurs et les colonies bactériennes, m'amenait à discerner certains rythmes, et même à formuler certaines lois — ce qui était d'ailleurs trop ambitieux. (*Connaissance de Jules Romains, discutée par Jules Romains,* d'André Bourin, p. 127.)

Cette ambition d'attirer jusqu'à son Mémoire à l'unanimisme nous amène à passer de l'autre côté du miroir, de Louis Farigoule, brillant étudiant et joyeux luron, à Jules Romains, écrivain déjà reconnu en 1909, l'année de son agrégation, qui publie depuis sept ans, mais qui écrit depuis toujours.

NAISSANCE D'UNE VOCATION, LE MÉDECIN DÉJÀ

C'est en février 1902, à l'occasion de sa première publication, une nouvelle dans une petite revue, qu'il choisit ce pseudonyme de Jules Romains. Ses proses et poèmes de l'adolescence, pour reprendre le titre que leur a donné leur éditeur, André Guyon, montrent assez, déjà, l'extrême diversité de son inspiration. En 1904, couronné par la Société des Poètes français, il publie L'Âme des hommes.

Parmi les pièces prévues dans ce recueil et finalement écartées que conservent les manuscrits de la Bibliothèque Nationale, un sonnet, Le Médecin, *daté de février 1904, thème tragique, l'impuissance de celui-ci devant la mort et son angoisse devant l'espoir insensé qu'il irradie :*

Je prononce des mots graves de thaumaturge;
Le moribond me fixe et j'ai peur de sa mort.

Tous m'invoquent, l'enfant, l'encre, la page blanche;
Oh! m'enfuir... Mais je sens un regard qui me mord
Et les doigts d'une vie accrochée à ma manche.

(« J'entends les portes du lointain... ». *Proses et poèmes de l'adolescence de Jules Romains*, p. 223.)

Thaumaturge, démiurge en variante dans un brouillon, c'est bien là le danger inhérent qui plane sur les rebouteux et les médecins et auquel Knock *saura plus tard donner une tout autre dimension.*

LA RÉVÉLATION DE L'UNANIMISME : UNE DYNAMIQUE POUR TOUTE UNE ŒUVRE

L'Âme des hommes *ne porte pas encore l'empreinte de la révélation, pour ne pas dire l'illumination, qui va marquer l'œuvre de Jules Romains, l'unanimisme; vision de l'univers qui se serait imposée à lui un soir d'octobre 1903, au sortir du lycée Condorcet, en remontant la « grouillante rue d'Amsterdam », sentiment existentiel où l'expérience et/ou l'intuition entraîne les consciences individuelles à se heurter ou à se fondre dans la conscience collective, rencontre et osmose brutalement perçues comme fondamentales par le jeune homme entre l'individu et l'*unanime.

Bien souvent l'écrivain reviendra sur l'importance de ces dix années d'avant-guerre, 1905-1914, sous le sceau de l'unanimisme, tant pour les œuvres publiées alors que pour celles

« rêvées » seulement à cette époque et mises en chantier pour certaines dans les années 1920-1930. Et de fait, sans tomber dans un dogmatisme que lui-même a souvent dénoncé, c'est de cette époque que date une prise de conscience aiguë des forces qui se jouent dans le monde moderne et notamment des rapports de l'individu et de la société que finalement son théâtre et la plupart de ses romans traduiront plus encore que son œuvre poétique.

Pour l'heure, le premier manifeste de l'unanimisme apparaît dans un récit publié en 1906, Le Bourg régénéré, *conte de la vie unanime. « Je n'ai mis en lumière qu'un héros, qu'un être, qu'un " moi ", il n'est question que de lui de la première à la dernière page. Mais ce n'est pas un homme, c'est une ville.* [...] *Quant aux individus* [...] *je ne sais pas leur nom* [...] *je ne m'occupe d'eux que dans la mesure où ils sont des parcelles de la conscience du bourg et des moments de la crise unanime », déclare-t-il dans la préface de l'édition originale.*

Ce bourg jamais nommé, qu'une simple inscription portée dans un urinoir par un étranger au pays un jour de désœuvrement (« Celui qui profite vit aux dépens de celui qui travaille ») fait sortir de sa torpeur, comment ne pas le rapprocher déjà de ce Saint-Maurice, qui revit d'une existence inquiétante, bourg dégénéré sous les effets de « l'intérêt de la médecine » revu et corrigé par un homme aux pouvoirs troubles ? Comment ne pas penser à la célèbre description du canton « ressuscité », de la scène VI de l'acte III, « paysage rude, à peine humain », désormais « tout imprégné de médecine, animé et parcouru par le feu souterrain de notre art », en lisant les dernières pages du conte de 1906 ?

Le bourg existe sur de nouveaux rythmes. Il dîne plus tard, il dort moins. Il a changé de structure et de tempérament. Il n'est plus le disque de pâte flasque, trop homogène, sans contours énergiques, sans diversité intérieure, qui s'aplatissait sur le pays. [...] Son âme souffre de conflits ; jadis apathique, il apprend l'angoisse. Ses propres éléments se battent à qui lui sera le plus conscient. Et il vit tant qu'il secrète des milliers de douleurs ; et il aspire à une purification dernière.

Cependant, pour plusieurs années encore, c'est de poésie que se repaît essentiellement le jeune homme, c'est par la poésie que sa pensée s'affirme et qu'il touche ses contemporains. La Vie unanime, *en 1908, lui vaut une célébrité immédiate que confirment dès l'année suivante de nouveaux recueils de poèmes. « Cette relation passionnée de l'âme avec l'unanime », « cette crise unanime » désormais au cœur de son œuvre, il les codifiera en quelque sorte dans le* Manuel de déification *(1910), véritable catéchisme romainsien. Ces étonnants préceptes trouveront pour certains un écho inattendu dans un répertoire comique, qui saura tourner en dérision apparente les rapports du groupe et de l'individu.*

Arrachez parfois les groupes à leur torpeur. Faites-leur violence. Choisissez une rue molle. Parlez tout haut ; ouvrez votre parapluie par un beau temps. Des hommes riront ; on criera des injures ; des enfants courront après vous. La rue pensera fortement quelqu'un qui sera vous [...]

C'est ainsi que tu déifieras les groupes rudes, plantant ton âme en leur centre, comme le drapeau sur la citadelle.

Et de méditer Knock a contrario *à la lueur du* Manuel *:*

Méprise les maladies qui ne menacent pas ta pensée. Si tu la sens atteinte, garde encore un espoir : tu n'es peut-être perdu que pour toi-même.

Prends conscience de ton corps avec soin et gravité. Mais ne lui témoigne pas une satisfaction trop épaisse. Ne lui laisse pas trop deviner qu'il t'est précieux. Entre lui et toi, conserve les distances

COMIQUE ET UNANIMISME : *LES COPAINS*, PRÉCURSEURS DE *KNOCK*

Dans son étonnante variété, l'œuvre de Jules Romains garde longtemps une tension qui contraste singulièrement avec l'esprit canularesque et mystificateur de l'écrivain et de ses amis. Adolescent, il a certes usé et abusé avec un bonheur incertain du thème de la mystification tournant au tragique et tôt visé le pessimisme d'un comique dont il entrevoit les perspectives dès 1900, dans des « Notes sur les autres. Instantanés psychologiques ».

L'âme du monde, c'est le ridicule [...] le règne par excellence du ridicule, c'est cet état moyen qu'on pourrait appeler l'honnêteté mondaine et qu'un chimiste décomposerait ainsi : 1/3 vice, 1/3 vertu, 1/3 ridicule. [...] Voilà ce qui fait que la comédie nous semble plus véritable, plus réaliste que la tragédie, parce qu'elle expose surtout le côté saillant et habituel de la nature humaine, tandis que la tragédie fait jouer des passions violentes que leur rareté nous rend plus extraordinaires et moins réelles. (« J'entends les portes du lointain... ». *Proses et poèmes de l'adolescence de Jules Romains,* p. 65.)

Bien avant la comédie, l'épopée des Copains *exploitera enfin ce potentiel ridicule. Aventure endiablée qui campe des personnages aussi hauts en couleur que ceux de son théâtre et dont le rythme même témoigne des ressources de l'unanimisme au service du comique. Car à relire le roman, la truculence du récit sort renforcée de cette stimulante osmose des copains « dieu unique en sept personnes », groupe unanime qui seul peut provoquer la création d'Ambert et la destruction d'Issoire, la restauration de l'acte pur, une année avant que le Lafcadio de Gide n'invente l'acte gratuit. (*Les Caves du Vatican, *1914.)*

Knock, plus tard, pourra faire siennes ces doctrines, et transformer un bourg, sans avoir pour objectif l'acte pur des copains, né de la rencontre d'une carte de France et d'un somnambule inspiré, relayé par un curieux télépathe. Thaumaturge d'un autre acabit, il porte en lui tous ces personnages d'un monde surnaturel et mystérieux dont Jules Romains ressent intensément l'infinie puissance, et qu'il évoque à nouveau dès 1914 dans les trois derniers récits de Sur les quais de La Villette : *« L'ancien maître des hommes », dominateur malgré lui, un consommateur pas comme les autres de ce petit café de La Villette où se retrouvent deux des copains, Bénin et Broudier, confie les angoisses et les incertitudes que lui causent ses pouvoirs hypnotiques, découverts par hasard, dès son adolescence.*

Au-delà de ces récits de 1914, les copains poursuivront une belle carrière ; du scénario de film au théâtre, fil d'Ariane de la verve comique, ils trameront un réseau de connivences et de références désormais indissociables de la mystification, de l'imposture, voire du charlatanisme, de la prise du pouvoir par les moyens les plus ambigus, mais aussi de la farce tonitruante, d'une gaieté quasi rabelaisienne.

Ainsi Lamendin, grand prêtre de l'Erreur Scientifique dans le scénario écrit en 1919 à la demande de Blaise Cendrars, Donogoo-Tonka, ou les Miracles de la Science. *Lamendin, mystificateur de haut rang, mais d'abord lui-même jouet du charlatan auquel il remet son sort, le professeur Miguel Rufisque, qui fait sa propagande par les moyens d'un homme de son envergure, le prospectus, concurrent déloyal du tambour de ville dans le monde moderne, et sait impressionner son inquiétante clientèle par le luxe et la modernité du Cabinet de consultation de son Institut de Psychothérapie biométrique. Pionnier par désespoir, Lamendin crée* ex nihilo *cette ville fantôme de* Donogoo-Tonka *que le professeur Le Trouhadec a malencontreusement mentionnée dans sa volumineuse* Géographie de l'Amérique du Sud. *Dans la succession de tableaux rapides montrant la propagande de la Donogoo-Tonka, « insidieuse, foisonnante, incoercible », celui du marché dans un bourg vendéen, où un homme colle une affiche sur un arbre :*

Les gens s'attroupent. Le mouvement du marché se ralentit et se trouble. L'affluence devient volumineuse, pressante. Il s'y mêle des bêtes à cornes, des cochons, des volailles ; tout cela fasciné.

Peu à peu la lumière se brouille. Les choses d'alentour fondent et se simplifient. L'arbre, insensiblement, se dépouille, se transforme en un fût, en une colonne vibrante, et ne dirait-on pas que, dans une sorte de lande déserte, une colonne de feu marche en avant d'une immense foule faite de paysans, de bêtes à cornes, de cochons et de quelques volailles ?

Ne dirait-on pas, là aussi, la description de Saint Maurice sous l'éclairage de la « Lumière Médicale » que magnifient les propos prophétiques du docteur Knock dans la grande scène de l'acte III ? Comme l'âme collective des copains, à nouveau réunis à Donogoo-Tonka à la fin du scénario, est suffisamment forte pour créer une clarté nouvelle, appréhendant, au-delà des lois habituelles, le monde dans un espace démesuré.

Donogoo-Tonka *offre le parfait exemple de la simultanéité unanimiste que le cinéma pourra en effet aisément traduire, mais que le romancier avait conçue dès* Le Bourg régénéré : *formule qui échappe aux « habitudes de vision centrée sur l'individu », technique que Romains revendique comme sienne depuis vingt-cinq ans dans la préface du tome I des* Hommes de bonne volonté *en 1932. Adapté en pièce en 1930, grâce aux ressources de la machinerie moderne du Théâtre Pigalle,* Donogoo, *avec ses vingt-quatre tableaux, trouvera enfin son expression dramatique. Mais l'acte II de* Knock *aura offert auparavant, avec sa succession de personnages représentatifs du bourg, l'unanime que le médecin veut façonner.*

L'AVENTURE THÉÂTRALE

Premières expériences : le théâtre unanimiste

Tenté très jeune par le théâtre — une pièce inspirée par l'histoire de Boris Godounov, Tsar !, *écrite à seize ans et qu'il revendiquera toujours comme les prémisses de ses drames politiques — Jules Romains donne* L'Armée dans la ville *en mars 1911 à l'Odéon, première expérience de la scène avec un* maître incontesté, Antoine. L'ancien pionnier du Théâtre Libre accueille de jeunes auteurs inconnus aux matinées de l'Odéon, et sait leur faire partager son extraordinaire perception du spectacle dans son ensemble et ses « vigoureux principes : haine des conventions périmées, goût du ton juste et naturel, respect de l'auteur, de sa pensée et de la qualité littéraire de ses œuvres » (Amitiés et rencontres, p. 137).

Ce drame unanimiste en vers ne connaît que cinq représentations. Dans la foulée, le jeune homme a mis en chantier deux des œuvres qui lui tiendront le plus à cœur, Le Dictateur, né de sa fascination pour l'attitude de Briand au moment de la grève des cheminots en octobre 1910, qui ne sera repris et créé qu'en 1926, et Cromedeyre-le-Vieil, dont le germe est une fois de plus une de ces histoires paysannes du Velay, la révolte d'un village au XIXe siècle, qui décide de bâtir sa propre église et de se donner un chef, Emmanuel. Deux drames, deux chefs aux prises avec le peuple.

Repris et terminé en 1918, Cromedeyre le-Vieil est joué au Théâtre du Vieux-Colombier, en mai 1920. Montée et interprétée par Jacques Copeau, la pièce connaîtra un succès d'estime, mais seulement vingt et une représentations.

La comédie : « faire revivre le comique pur »

Mais Jules Romains entre dès lors dans une nouvelle phase d'activité créatrice. Poète, romancier, essayiste, pour ses contemporains, il va, durant dix ans, faire basculer cette image pour s'imposer comme auteur dramatique. De 1920 à 1930, en occupant les devants de la scène française, il trouve dans les contraintes rigoureuses mais indispensables à l'esthétique théâtrale une forme d'expression stimulante qui convient parfaitement à ses préoccupations du moment. Dénonçant *l'imposture et l'hypocrisie, il voit désormais en l'art dramatique l'instrument désigné pour stigmatiser ces rapports de force qui ébranlent la société nouvelle. Le semi-échec de* Cromedeyre, *œuvre qu'il considéra toujours comme sa « plus haute production théâtrale », le pousse à abandonner la tragédie en vers et à se tourner, un temps, en plein accord avec Jacques Copeau, vers la comédie pour « faire revivre le comique pur » et « favoriser un retour au grand style comique qui nous semblait avoir été abandonné depuis longtemps » (*Mes intentions en écrivant « Le Trouhadec », *conférence du 15 février 1957).*

Fort de ce nouveau programme, Romains commence à écrire dès septembre 1920 M. Le Trouhadec saisi par la débauche, *suite inattendue de* Donogoo-Tonka, *« farce » conçue expressément pour le Théâtre du Vieux-Colombier et ses tréteaux, et pour Jouvet, dans le rôle principal. Pour la première fois, l'écrivain soumet son œuvre aux contraintes d'une esthétique scénique et n'envisage son achèvement qu'en fonction de l'adhésion du metteur en scène :*

Elle cesserait de m'amuser si je devais lui donner un aspect différent, qui la rendît acceptable pour un autre théâtre. Je fais ça comme un sonnet ; je veux dire que ce sont les contraintes mêmes de la chose qui m'intéressent. (Lettre à Copeau, 7 septembre 1920.)

Copeau tergiversera deux ans sans monter M. Le Trouhadec, *mais il donnera à son auteur d'autres moyens d'approfondir leur esthétique commune en lui offrant la direction de l'École du Vieux-Colombier, ce conservatoire libre qu'il avait créé à côté de son Théâtre. Occasion unique pour Jules Romains. Élaboré avec Georges Chennevière, pour les élèves de l'École, le cours de technique poétique et le* Petit traité de versification, *publié en 1923, comme ses réflexions sur le théâtre actuel, qui font l'objet de conférences pour l'École en mai 1923, et qu'il développe par la suite, l'incitent à reconnaître la prééminence de l'art dramatique opposé aux facilités de l'art du romancier. Se dégageant d'un lyrisme unanimiste trop envahissant, il se tourne vers un classicisme moderne qui marque son œuvre de cette décennie.*

M. Le Trouhadec saisi par la débauche *en sera la première démonstration, spectacle d'ouverture de la Comédie des Champs-Élysées en mars 1923 et première mise en scène de Jouvet. Romains, dans ses notes pour la représentation en août 1921, insistait sur l'essentiel à ses yeux, la personnalité de Le Trouhadec, « un de ces hommes qui, à une valeur personnelle " nulle ", joignent une " efficacité sociale ", ou si l'on veut " une valeur dans le groupe ", considérable ». Comme « l'ancien maître des hommes » des récits de La Villette, Le Trouhadec est enveloppé d'une « aura » singulière. « Jeté dans les événements dont il est bien incapable de créer un seul, Le Trouhadec, par sa seule présence, les agglutine, les précipite, les compose. »*

Sans doute les spectateurs, en découvrant cette allègre comédie, ne saisiront-ils pas toutes ces nuances. Antoine, le metteur en scène de la première œuvre, L'Armée dans la ville, *dégagera dans* L'Information *du 15 mars 1923 les vertus principales de la pièce et les qualités de ce Romains nouveau :*

Le charme extrême de la comédie, son agrément inusité, en dehors du dessin ironique des personnages, maintenus avec une mesure exquise à mi-chemin de la vérité et de la caricature, est une langue ferme, claire, d'une gaîté qui suffirait à elle seule à notre régal [...] M. Jules Romains, qui fut le puissant poète de *Cromedeyre-le-Vieil*, s'est ici abandonné à sa fantaisie et broche comme en se jouant une étincelante transposition des *Fourberies de Scapin.*

Les Fourberies de Scapin, *Molière déjà... Malgré quelques éreintements dont celui de Maurice Boissard-Léautaud est resté célèbre, le succès de* M. Le Trouhadec *conforte Romains dans cette voie. L'année précédente,* Lucienne, *roman marqué par ce nouveau classicisme, a manqué d'une voix le prix Goncourt. La jeune revue de Jean Hytier,* Le Mouton blanc, *s'apprête à publier à l'automne un numéro d'hommage à Jules Romains auquel participeront des écrivains de tout pays. Une seule ombre à ce tableau, l'échec dans le domaine scientifique, où, après plusieurs années de tentatives acharnées, il renonce à pouvoir jamais imposer le bénéfice de ses découvertes sur la vision extra-rétinienne au monde des savants. Fruit de longues recherches et d'expériences sur les aveugles, le seul de ses livres publié sous son nom, Louis Farigoule,* La Vision extra-rétinienne et le sens paroptique, *restera une hypothèse d'école, extraordinaire découverte selon ses amis médecins écrivains, Georges Duhamel ou Georges Nepveu (Luc Durtain), ou mystification selon plusieurs pontes du monde médical qu'il épinglera dans* Les Hommes de bonne volonté *et sans doute auparavant dans* Knock.

Notez encore ceci, qui est amusant pour l'histoire des idées. Pendant l'époque — qui dura plusieurs années — où je menais mes expériences, j'écrivais *Donogoo-Tonka, ou les Miracles de la Science, Le Trouhadec* et *Knock,* c'est-à-dire trois démonstrations de la puissance de l'imposture parmi les hommes. (*Connaissance de Jules Romains,* p. 181.)

ENFIN *KNOCK*..

Car enfin Knock *vint, première des œuvres dramatiques de l'après-guerre à ne pas avoir longuement mûri, puisque écrite en quelques semaines durant l'été 1923, et pourtant lourde de tout le passé de l'écrivain. Knock, comparse très naturel des copains, qui se nommait d'abord Lamendin, dans les premières pages du brouillon de la pièce. C'était donc le génial créateur de Donogoo-Tonka et du culte de l'Erreur Scientifique qui devait initialement étendre sa mission mystificatrice au champ de la médecine.*

Dans le cycle de conférences données à l'École du Vieux-Colombier en mai 1923, « Matière et forme du drame », celle consacrée à M. Le Trouhadec saisi par la débauche *soulignait en effet les perspectives infinies qu'offrait, dans le domaine du théâtre, la reprise des personnages des* Copains *et de* Donogoo-Tonka *dans une série d'œuvres successives :*

Ces deux œuvres me fournissaient certains personnages, doués d'une nature, porteurs de certaines tendances et d'un certain passé, et qui étaient bien loin d'avoir vécu toute leur vie, d'avoir épuisé toutes leurs possibilités individuelles, et surtout d'avoir formé entre eux et avec de nouveaux personnages tous les groupes dignes d'être appelés à l'existence. On imagine très bien une série d'œuvres comiques faisant apparaître et disparaître un nombre limité de personnages, les maniant, les mêlant, les combinant comme les cartes d'un jeu, les nuançant et les enrichissant d'une œuvre à l'autre, et rafraîchissant à chaque fois le mélange par l'apport de quelques unités neuves. Je crois que c'est tout à fait dans l'esprit de la comédie, que c'est une bonne façon de dépasser le vérisme, une heureuse condition de style — car je ne pense pas à un travail d'emboîtement et de marqueterie, à des raccords soigneusement biographiques et chronologiques entre les œuvres, procédé qui est peut-être à sa place dans le genre à demi historique qu'est le roman, procédé que Balzac et Zola ont peut-être eu raison d'employer. Non, je pense à quelque chose de beaucoup plus libre, de presque aussi indépendant que les parties successives que l'on joue avec les mêmes cartes. (« Genèse et composition de *M. Le Trouhadec saisi par la débauche* », p. 85.)

La partie de cartes entre le docteur Lamendin et les habitants du bourg de montagne ne se jouera pas. C'est là que réside la force de l'écriture chez Jules Romains, l'invention créatrice balaye les idées préconçues et bouleverse les plans pour donner libre cours à une création plus forte. Knock évince Lamendin et, personnage sans passé, ou plutôt au passé recomposé, n'offre plus lui-même aucune prise à la truculence, sinon à la farce, et s'installe dans un registre plus mystérieux, partant plus fort, prophète de la science médicale portée à des pinacles inquiétants.

Satire de la médecine, certes, et dans la grande tradition moliéresque, mais Knock, *comme* Le Malade imaginaire, *transcende cette définition, comme celle de charlatanisme. C'est plus encore — et avec Jules Romains la plupart des critiques le reconnaîtront —* « *une satire de la crédulité humaine, de notre faiblesse et docilité en face de l'imposture, docilité à laquelle finit par céder l'imposteur lui-même. Et la médecine n'y est prise que comme un exemple, le plus parlant, peut-être, le plus éternel. Mais Knock symbolise tous les meneurs d'hommes, tous ceux qui organisent la soumission de la collectivité autour d'un mensonge ou d'un mythe. C'est dire que ce sujet de tous les temps l'était spécialement du nôtre. » (B.N., dép. des Manuscrits, Fonds Jules Romains. Texte non identifié vraisemblablement destiné à un programme, ou à une préface, vers 1950.)*

« Mélange de conviction et d'imposture », Knock est un véritable chef dans la lignée de l'Emmanuel de Cromedeyre-le-Vieil *et du Denis du* Dictateur. *Mais cette fois Jules Romains installe son personnage dans une comédie brillante, admirablement écrite et construite, où le crescendo dramatique se joue toujours en contrepoint ; où le corps-à-corps entre le médecin et le bourg, l'individu et l'unanime, est une suite de passes d'armes prestement enlevée.*

Aux notations furtives ou appuyées du ridicule touchant de personnages-marionnettes, naïfs et retors, qui s'agitent, qui se débattent, pourrait-on dire pour certains, pour Parpalaid notamment, le plus rebelle à cette démonstration inattendue des ressources de sa profession, s'oppose l'implacable montée de l'emprise de Knock.

À l'acte I, Knock joue sur du velours. Sarcastique et énigmatique, il n'a en face de lui que les témoins révolus d'un passé qu'il a beau jeu de rejeter. Encore lui faudra-t-il, au-delà de ses premières expériences, pour ne pas dire combines, faire la preuve de ses belles théories. Et Parpalaid, superbe de bon sens, se trompe-t-il en voyant en lui un chimérique et un cyclothymique ? « L'âge médical peut commencer. » Voire !

En cela l'acte II, perçu par certains critiques comme un défilé de scènes burlesques et de personnages hauts en couleur, est-il celui où s'instaure insensiblement l'osmose entre le bourg indolent et réceptif et le médecin. Ces coups de projecteur successifs ne sont que les premiers faisceaux convergents de la fameuse « Lumière Médicale » de l'acte III. Sur ce terrain meuble, Knock marque aisément son sillon, dosant habilement ses effets, portant à chacun l'estocade qu'il mérite.

Il faut choisir et façonner les paroles que vous direz au groupe. Toute son âme future dépendra des paroles que vous aurez dites.

Vous serez le magicien, la fée sur le berceau. Songez que vos paroles jetteront un sort. *(Manuel de déification.)*

Aux subtiles explications accordées à ses trois futurs collaborateurs, ses premiers alliés, noyés dans le flot de ses arguments prometteurs et flatteurs, succèdent les attaques directes et pragmatiques portées aux premiers cobayes d'une expérience dont l'on devine la suite ; victoire aussitôt reconnue de ceux-là mêmes qui en ignorent les causes et l'enjeu, la foule des consultants de la salle d'attente, « frappée de crainte et de respect » à la sortie de la dame en noir, « soudain silencieuse comme un enterrement » à la vue des deux gars « aux mines diversement hagardes et terrifiées ». Dès lors la crise unanime, au cœur de l'œuvre dramatique de l'écrivain, est amorcée.

Elle atteindra son paroxysme à l'acte III, avec la réapparition de Parpalaid. Personnage en apparence falot, à la Le Trouhadec, il lui appartient de cristalliser non pas les événements mais les confidences et de recueillir, dans ces longues scènes d'exposition, les témoignages accablants de ce triomphe de la médecine, qui en sous-tend bien d'autres. Coup de génie, qui permet l'instauration du chœur des adeptes et qui trouve son apothéose dans le nouveau face-à-face des médecins. Confronté à sa pâle réplique, Knock peut enfin, au-delà des hors-d'œuvre que sont les présentations de ces graphiques et de ces statistiques révélateurs, donner libre cours à sa mégalomanie dans la grande tirade de la scène VI qui va crescendo jusqu'au fol aveu : « Le canton fait place à une sorte de firmament dont je suis le créateur continuel », pour retomber avec la chute finale, le retour à la farce, les deux cent cinquante thermomètres. La « Lumière Médicale » irradie la scène, mais la crise est dénouée ; il faut lui donner une fin. En une dernière pirouette, le démiurge réduit à l'impuissance le seul disciple qu'il aurait pu avoir — n'est pas Faust qui veut. Reste que l'échéance est imprévisible et c'est en cela que réside la saveur de la fable, que de ne pas livrer sa morale et sa conclusion, que de laisser chacun, comme dans l'auberge espagnole, libre de trouver ce qu'il y cherche, une merveilleuse comédie de mœurs, ou une tragédie poignante, comme certains de ses premiers lecteurs, à commencer par Jouvet et Pitoëff.

Le phénomène *Knock*

Excellente comédie, tranchant sur les pièces de boulevard en vogue dans les années 1920, celles de Flers et Caillavet, celles de Sacha Guitry ou de Tristan Bernard, pour ne pas citer les grands classiques de l'époque, Courteline et Feydeau, Knock *aurait pu avoir le succès brillant et éphémère des nouveautés de la saison. Dans le même temps on découvrait à l'Atelier le jeune Marcel Achard avec son* Voulez-vous jouer avec moâ ?. *Le triomphe de la pièce de Jules Romains dès le soir de la générale n'augurait pas forcément de sa pérennité. La performance de Jouvet unanimement saluée par la critique laissait prévoir une succession difficile. Rarement pièce semblait autant portée par son interprète. En France, l'ombre du grand acteur ne plane-t-elle pas encore sur le spectacle ? Les deux films tournés par Jouvet en 1933 et 1950 imposent même aux jeunes générations cette figure inoubliable. Mais c'est là une vision chauvine, dont le mythe* Knock *s'est depuis longtemps dégagé, et une conception purement scénique d'une œuvre qui allait défier les meilleurs pronostics et prendre une dimension universelle, tant théâtrale que, pourrait-on dire, parascolaire.*

Car, par-delà les frontières, la pièce fut accueillie avec le même enthousiasme. Traduite dans les langues les plus insolites, en afrikander, en annamite, en esperanto, jouée dans presque tous les pays du monde, elle ne bénéficia pas seulement des grands théâtres nationaux et de metteurs en scène et d'interprètes prestigieux. Spectacle tout public, la pièce fait les beaux jours des tournées de province, des troupes d'amateurs et des patronages, sans doute parfois massacrée mais combien appréciée de ceux qui découvrent grâce à Jules Romains la France profonde et ses roublardises, le parler clair et les dangers de la tête de veau et des échelles, qui pressentent aussi l'immense ambiguïté de cette farce tragique.

Pièce sans intrigue amoureuse, aux dialogues limpides et incisifs, Knock *connaît une seconde carrière plus inattendue, manuel scolaire par excellence, véhicule de la langue française à travers le monde. Aussi les éditions en français, destinées aux écoliers, accompagnées de lexiques et de notes dans la langue du pays, voisinent-elles depuis longtemps avec les traductions et les éditions classiques, souvent illustrées.*

Double gageure involontaire de l'auteur : au moment où il portait à la perfection une œuvre destinée à la scène, éclatant témoignage, selon lui, de la prééminence de l'art dramatique qui mobilise les forces vives de l'écriture, il offrait par là même un des textes les plus lus *de la langue française. L'irrésistible ascension du docteur Knock a trouvé une consécration qui dépasse l'épopée d'un bourg de montagne pour entrer dans la légende.*

Annie Angremy

KNOCK
OU
LE TRIOMPHE DE LA MÉDECINE

COMÉDIE EN TROIS ACTES

À Louis Jouvet

PERSONNAGES

KNOCK.
LE DOCTEUR PARPALAID.
MOUSQUET.
BERNARD.
LE TAMBOUR DE VILLE.
PREMIER GARS.
DEUXIÈME GARS.
SCIPION.
JEAN.

MADAME PARPALAID.
MADAME RÉMY.
LA DAME EN NOIR.
LA DAME EN VIOLET.
LA BONNE.
VOIX DE MARIETTE, *à la cantonade.*

Cette pièce a été représentée pour la première fois, à Paris, à la Comédie des Champs-Élysées, le 15 décembre 1923[1], *sous la direction de Jacques Hébertot, avec la mise en scène et les décors de Louis Jouvet. Les rôles étaient tenus par Mesdames Coutant-Lambert, Irma Perrot, Iza Reyner, Mag. Bérubet, J. Tisserand ; et par MM. Louis Jouvet, A. Héraut, Evséeff, Gaultier, Ben Danou, Salis, Mamy, Saint-Isles.*

ACTE I

L'action se passe à l'intérieur ou autour d'une automobile très ancienne, type 1900-1902. Carrosserie énorme (double phaéton arrangé sur le tard en simili-torpédo, grâce à des tôles rapportées). Cuivres volumineux. Petit capot en forme de chaufferette.

Pendant une partie de l'acte, l'auto se déplace[1].

On part des abords d'une petite gare pour s'élever ensuite le long d'une route de montagne.

SCÈNE UNIQUE

KNOCK, LE DOCTEUR PARPALAID,
MADAME PARPALAID, JEAN

LE DOCTEUR PARPALAID : Tous vos bagages sont là, mon cher confrère ?

KNOCK[1] : Tous, docteur Parpalaid.

LE DOCTEUR : Jean les casera près de lui. Nous tiendrons très bien tous les trois à l'arrière de la voiture. La carrosserie en est si spacieuse, les strapontins si confortables ! Ah ! ce n'est pas la construction étriquée de maintenant !

KNOCK, *à Jean, au moment où il place la caisse :* Je vous recommande cette caisse. J'y ai logé quelques appareils, qui sont fragiles.

Jean commence à empiler les bagages de Knock.

MADAME PARPALAID : Voilà une torpédo[2] que je regretterais longtemps si nous faisions la sottise de la vendre.

Knock regarde le véhicule avec surprise.

LE DOCTEUR : Car c'est, en somme, une torpédo avec les avantages de l'ancien double-phaéton[3].

KNOCK : Oui, oui.

Toute la banquette d'avant disparaît sous l'amas.

LE DOCTEUR : Voyez comme vos valises se logent facilement ! Jean ne sera pas gêné du tout. Il est même dommage que vous n'en ayez pas plus. Vous vous seriez mieux rendu compte des commodités de ma voiture.

KNOCK : Saint-Maurice est loin ?

LE DOCTEUR : Onze kilomètres. Notez que cette distance du chemin de fer est excellente pour la fidélité de la clientèle. Les malades ne vous jouent pas le tour d'aller consulter au chef-lieu.

KNOCK : Il n'y a donc pas de diligence ?

LE DOCTEUR : Une guimbarde si lamentable qu'elle donne envie de faire le chemin à pied [1].

MADAME PARPALAID : Ici l'on ne peut guère se passer d'automobile.

LE DOCTEUR : Surtout dans la profession.

Knock reste courtois et impassible.

JEAN, *au docteur :* Je mets en marche ?

LE DOCTEUR : Oui, commencez à mettre en marche, mon ami.

Jean entreprend toute une série de manœuvres : ouverture du capot, dévissage des bougies, injection d'essence, etc.

MADAME PARPALAID, *à Knock :* Sur le parcours le paysage est délicieux. Zénaïde Fleuriot [2] l'a décrit dans un de ses plus beaux romans, dont j'ai oublié le titre. (*Elle monte en voiture. À son mari.*) Tu prends le strapontin, n'est-ce pas ? Le docteur Knock se placera près de moi pour bien jouir de la vue.

Knock s'assied à la gauche de Mme Parpalaid.

LE DOCTEUR : La carrosserie est assez vaste pour que trois personnes se sentent à l'aise sur la banquette d'arrière. Mais il faut pouvoir s'étaler lorsqu'on contemple un panorama. (*Il s'approche de Jean.*) Tout va bien ? L'injection d'essence est terminée ? Dans les deux cylindres ? Avez-vous pensé à essuyer un peu les bougies ? C'eût été prudent après une étape de onze kilomètres. Enveloppez bien le carburateur. Un vieux foulard vaudrait mieux que ce chiffon. (*Pendant qu'il revient vers l'arrière.*) Parfait ! parfait ! (*Il monte en voiture.*) Je m'assois — pardon, cher confrère — je m'assois sur ce large strapontin, qui est plutôt un fauteuil pliant.

MADAME PARPALAID : La route ne cesse de s'élever jusqu'à Saint-Maurice. À pied, avec tous ces bagages, le trajet serait terrible. En auto, c'est un enchantement.

LE DOCTEUR : Jadis, mon cher confrère, il m'arrivait de taquiner la muse. J'avais composé un sonnet, de quatorze vers, sur les magnificences naturelles qui vont s'offrir à nous. Du diable si je me le rappelle encore.

« Profondeurs des vallons, retraites pastorales... »

Jean tourne désespérément la manivelle.

MADAME PARPALAID : Albert, depuis quelques années, tu t'obstines à dire « Profondeurs ». C'est

« Abîmes des vallons » qu'il y avait dans les premiers temps.

LE DOCTEUR : Juste ! Juste ! (*On entend une explosion.*) Écoutez, mon cher confrère, comme le moteur part bien. À peine quelques tours de manivelle pour appeler les gaz, et tenez... une explosion... une autre... voilà !... voilà !... Nous marchons.

Jean s'installe. Le véhicule s'ébranle. Le paysage peu à peu se déroule.

LE DOCTEUR, *après quelques instants de silence :* Croyez-m'en, mon cher successeur ! (*Il donne une tape à Knock.*) Car vous êtes dès cet instant mon successeur ! Vous avez fait une bonne affaire. Oui, dès cet instant ma clientèle est à vous. Si même, le long de la route, quelque patient, me reconnaissant au passage, malgré la vitesse, réclame l'assistance de mon art, je m'efface en déclarant : « Vous vous trompez, monsieur. Voici le médecin du pays. » (*Il désigne Knock.*) Et je ne ressors de mon trou (*pétarades du moteur*) que si vous m'invitez formellement à une consultation contradictoire. (*Pétarades.*) Mais vous avez eu de la chance de tomber sur un homme qui voulait s'offrir un coup de tête.

MADAME PARPALAID : Mon mari s'était juré de finir sa carrière dans une grande ville.

LE DOCTEUR : Lancer mon chant du cygne sur un vaste théâtre ! Vanité un peu ridicule, n'est-ce pas ? Je rêvais de Paris, je me contenterai de Lyon.

MADAME PARPALAID : Au lieu d'achever tranquillement de faire fortune ici !

Knock, tour à tour, les observe, médite, donne un coup d'œil au paysage.

LE DOCTEUR : Ne vous moquez pas trop de moi, mon cher confrère. C'est grâce à cette toquade que vous avez ma clientèle pour un morceau de pain.

KNOCK : Vous trouvez ?

LE DOCTEUR : C'est l'évidence même !

KNOCK : En tout cas, je n'ai guère marchandé.

LE DOCTEUR : Certes, et votre rondeur m'a plu. J'ai beaucoup aimé aussi votre façon de traiter par correspondance et de ne venir sur place qu'avec le marché en poche. Cela m'a semblé chevaleresque, ou même américain [1]. Mais je puis bien vous féliciter de l'aubaine : car c'en est une. Une clientèle égale, sans à-coups...

MADAME PARPALAID : Pas de concurrent.

LE DOCTEUR : Un pharmacien qui ne sort jamais de son rôle.

MADAME PARPALAID : Aucune occasion de dépense.

LE DOCTEUR : Pas une seule distraction coûteuse.

MADAME PARPALAID : Dans six mois, vous aurez économisé le double de ce que vous devez à mon mari.

LE DOCTEUR : Et je vous accorde quatre échéances trimestrielles pour vous libérer ! Ah ! sans les rhumatismes de ma femme, je crois que j'aurais fini par vous dire non.

KNOCK : Mme Parpalaid est rhumatisante ?

MADAME PARPALAID : Hélas !

LE DOCTEUR : Le climat, quoique très salubre en général, ne lui valait rien en particulier.

KNOCK : Y a-t-il beaucoup de rhumatisants dans le pays ?

LE DOCTEUR : Dites, mon cher confrère, qu'il n'y a que des rhumatisants.

KNOCK : Voilà qui me semble d'un grand intérêt.

LE DOCTEUR : Oui, pour qui voudrait étudier le rhumatisme.

KNOCK, *doucement :* Je pensais à la clientèle.

LE DOCTEUR : Ah ! pour ça, non. Les gens d'ici n'auraient pas plus l'idée d'aller chez le médecin pour un rhumatisme, que vous n'iriez chez le curé pour faire pleuvoir.

KNOCK : Mais... c'est fâcheux.

MADAME PARPALAID : Regardez, docteur, comme le point de vue est ravissant. On se croirait en Suisse.

Pétarades accentuées.

JEAN, *à l'oreille du docteur Parpalaid :* Monsieur, monsieur. Il y a quelque chose qui ne marche pas. Il faut que je démonte le tuyau d'essence.

LE DOCTEUR, *à Jean :* Bien, bien !... (*Aux autres.*) Précisément, je voulais vous proposer un petit arrêt ici.

MADAME PARPALAID : Pourquoi ?

LE DOCTEUR, *lui faisant des regards expressifs :* Le panorama... hum !... n'en vaut-il pas la peine ?

MADAME PARPALAID : Mais, si tu veux t'arrêter, c'est encore plus joli un peu plus haut.

La voiture stoppe. Mme Parpalaid comprend.

LE DOCTEUR : Eh bien ! nous nous arrêterons aussi un peu plus haut. Nous nous arrêterons deux fois, trois fois, quatre fois, si le cœur nous en dit. Dieu merci, nous ne sommes pas des chauffards. (*À Knock.*) Observez, mon cher confrère, avec quelle douceur cette voiture vient de stopper. Et comme là-dessus vous restez constamment maître de votre vitesse. Point capital dans un pays montagneux. (*Pendant qu'ils descendent.*) Vous vous convertirez à la traction mécanique, mon cher confrère, et plus tôt que vous ne pensez. Mais gardez-vous de la camelote actuelle. Les aciers, les aciers, je vous le demande, montrez-nous vos aciers.

KNOCK : S'il n'y a rien à faire du côté des rhumatismes, on doit se rattraper avec les pneumonies et pleurésies ?

LE DOCTEUR, *à Jean :* Profitez donc de notre halte pour purger un peu le tuyau d'essence. (*À Knock.*) Vous me parliez, mon cher confrère, des pneumonies et pleurésies ? Elles sont rares. Le climat est rude, vous le savez. Tous les nouveau-nés chétifs meurent dans les six premiers mois, sans que le médecin ait à intervenir, bien entendu. Ceux qui survivent sont des gaillards durs à cuire. Toutefois, nous avons des apoplectiques et des cardiaques. Ils ne s'en doutent pas une seconde et meurent foudroyés vers la cinquantaine.

KNOCK : Ce n'est pas en soignant les morts subites que vous avez pu faire fortune ?

LE DOCTEUR : Évidemment. (*Il cherche.*) Il nous reste... d'abord la grippe. Pas la grippe banale, qui ne les inquiète en aucune façon, et qu'ils accueillent même avec faveur parce qu'ils prétendent qu'elle fait sortir les humeurs viciées. Non, je pense aux grandes épidémies mondiales de grippe.

KNOCK : Mais ça, dites donc, c'est comme le vin de la comète[1]. S'il faut que j'attende la prochaine épidémie mondiale!...

LE DOCTEUR : Moi qui vous parle, j'en ai vu deux : celle de 89-90 et celle de 1918[2].

MADAME PARPALAID : En 1918, nous avons eu ici une très grosse mortalité, plus, relativement, que dans les grandes villes (*À son mari.*) N'est-ce pas? Tu avais comparé les chiffres.

LE DOCTEUR : Avec notre pourcentage nous laissions derrière nous quatre-vingt-trois départements.

KNOCK : Ils s'étaient fait soigner?

LE DOCTEUR : Oui, surtout vers la fin.

MADAME PARPALAID : Et nous avons eu de très belles rentrées à la Saint-Michel[3]

Jean se couche sous la voiture.

KNOCK : Plaît il?

MADAME PARPALAID : Ici, les clients vous payent à la Saint-Michel.

KNOCK : Mais... quel est le sens de cette expression? Est-ce un équivalent des calendes grecques[4], ou de la Saint-Glinglin?

LE DOCTEUR, *de temps en temps il surveille du coin de l'œil le travail du chauffeur :* Qu'allez-vous penser, mon cher confrère? La Saint-Michel est une des dates les plus connues du calendrier. Elle correspond à la fin septembre.

KNOCK, *changeant de ton :* Et nous sommes au début d'octobre! Ouais! Vous, au moins, vous avez su choisir votre moment pour vendre. (*Il fait quelques pas, réfléchit.*) Mais, voyons ! si quelqu'un vient vous trouver pour simple consultation, il vous paye bien séance tenante ?

LE DOCTEUR : Non, à la Saint-Michel !... C'est l'usage.

KNOCK : Mais, s'il ne vient que pour une consultation seule et unique ! Si vous ne le revoyez plus de toute l'année ?

LE DOCTEUR : À la Saint-Michel.

MADAME PARPAIAID : À la Saint-Michel.

Knock les regarde. Silence.

MADAME PARPALAID : D'ailleurs, les gens viennent presque toujours pour une seule consultation.

KNOCK : Hein ?

MADAME PARPALAID : Mais oui.

Le docteur Parpalaid prend des airs distraits.

KNOCK : Alors, qu'est-ce que vous faites des clients réguliers ?

MADAME PARPALAID : Quels clients réguliers ?

KNOCK : Eh bien ! ceux qu'on visite plusieurs fois par semaine, ou plusieurs fois par mois ?

MADAME PARPALAID, *à son mari :* Tu entends ce que dit le docteur ? Des clients comme en a le boulanger ou le boucher ? Le docteur est comme tous les débutants. Il se fait des illusions.

LE DOCTEUR, *mettant la main sur le bras de Knock :* Croyez-moi, mon cher confrère. Vous avez ici le meilleur type de clientèle : celle qui vous laisse indépendant.

KNOCK : Indépendant ? Vous en avez de bonnes !

LE DOCTEUR : Je m'explique ! Je veux dire que vous n'êtes pas à la merci de quelques clients, susceptibles de guérir d'un jour à l'autre, et dont la perte fait chavirer votre budget. Dépendant de tous, vous ne dépendez de personne. Voilà.

KNOCK : En d'autres termes, j'aurais dû apporter une provision d'asticots et une canne à pêche. Mais peut-être trouve-t-on ça là-haut ? (*Il fait quelques pas, médite, s'approche de la guimbarde, la considère, puis se retournant à demi.*) La situation commence à devenir limpide. Mon cher confrère, vous m'avez cédé — pour quelques billets de mille, que je vous dois encore — une clientèle de tous points assimilable à cette voiture (*il la tapote affectueusement*) dont on peut dire qu'à dix-neuf francs elle ne serait pas chère, mais qu'à vingt-cinq elle est au-dessus de son prix. (*Il la regarde en amateur.*) Tenez ! Comme j'aime à faire les choses largement, je vous en donne trente.

LE DOCTEUR : Trente francs ! De ma torpédo ? Je ne la lâcherais pas pour six mille.

KNOCK, *l'air navré :* Je m'y attendais ! (*Il contemple de nouveau la guimbarde.*) Je ne pourrai donc pas acheter cette voiture.

LE DOCTEUR : Si, au moins, vous me faisiez une offre sérieuse !

KNOCK : C'est dommage. Je pensais la transformer en bahut breton. (*Il revient.*) Quant à votre clientèle, j'y renoncerais avec la même absence d'amertume s'il en était temps encore.

LE DOCTEUR : Laissez-moi vous dire, mon cher confrère, que vous êtes victime... d'une fausse impression.

KNOCK : Moi, je croirais volontiers que c'est plutôt de vous que je suis victime. Enfin, je n'ai pas coutume de geindre, et quand je suis roulé, je ne m'en prends qu'à moi.

MADAME PARPALAID : Roulé ! Proteste, mon ami. Proteste.

LE DOCTEUR : Je voudrais surtout détromper le docteur Knock.

KNOCK : Pour vos échéances, elles ont le tort d'être trimestrielles, dans un climat où le client est annuel. Il faudra corriger ça. De toute façon, ne vous tourmentez pas à mon propos. Je déteste avoir des dettes. Mais c'est en somme beaucoup moins douloureux qu'un lumbago, par exemple, ou qu'un simple furoncle à la fesse.

MADAME PARPALAID : Comment ! Vous ne voulez pas nous payer ? aux dates convenues ?

KNOCK : Je brûle de vous payer, madame, mais je n'ai aucune autorité sur l'almanach, et il est au-dessus de mes forces de faire changer de place la Saint-Glinglin.

MADAME PARPALAID : La Saint-Michel !

KNOCK : La Saint-Michel.

LE DOCTEUR : Mais vous avez bien des réserves ?

KNOCK : Aucune. Je vis de mon travail. Ou plutôt, j'ai hâte d'en vivre. Et je déplore d'autant plus le caractère mythique de la clientèle que vous me vendez, que je comptais lui appliquer des méthodes entièrement neuves. (*Après un temps de réflexion et comme à part lui.*) Il est vrai que le problème ne fait que changer d'aspect.

LE DOCTEUR : En ce cas, mon cher confrère, vous seriez deux fois coupable de vous abandonner à un découragement prématuré, qui n'est que la rançon de votre inexpérience. Certes, la médecine est un riche terroir. Mais les moissons n'y lèvent pas toutes seules. Vos rêves de jeunesse vous ont un peu leurré.

KNOCK : Votre propos, mon cher confrère, fourmille d'inexactitudes. D'abord, j'ai quarante ans. Mes rêves, si j'en ai, ne sont pas des rêves de jeunesse.

LE DOCTEUR : Soit. Mais vous n'avez jamais exercé.

KNOCK : Autre erreur.

LE DOCTEUR : Comment ? Ne m'avez-vous pas dit que vous veniez de passer votre thèse l'été dernier ?

KNOCK : Oui, trente-deux pages in-octavo : *Sur les prétendus états de santé*, avec cette épigraphe, que j'ai attribuée à Claude Bernard[1] : « Les gens bien portants sont des malades qui s'ignorent. »

LE DOCTEUR : Nous sommes d'accord, mon cher confrère.

KNOCK : Sur le fond de ma théorie ?

LE DOCTEUR : Non, sur le fait que vous êtes un débutant.

KNOCK : Pardon ! Mes études sont, en effet, toutes récentes. Mais mon début dans la pratique de la médecine date de vingt ans.

LE DOCTEUR : Quoi ! Vous étiez officier de santé[2] ? Depuis le temps qu'il n'en reste plus !

KNOCK : Non, j'étais bachelier.

MADAME PARPALAID. Il n'y a jamais eu de bacheliers de santé.

KNOCK : Bachelier ès lettres, madame

LE DOCTEUR : Vous avez donc pratiqué sans titres et clandestinement?

KNOCK : À la face du monde, au contraire, et non pas dans un trou de province, mais sur un espace d'environ sept mille kilomètres.

LE DOCTEUR : Je ne vous comprends pas

KNOCK : C'est pourtant simple. Il y a une vingtaine d'années, ayant dû renoncer à l'étude des langues romanes, j'étais vendeur aux « Dames de France[1] » de Marseille, rayon des cravates. Je perds mon emploi. En me promenant sur le port, je vois annoncé qu'un vapeur de 1 700 tonnes à destination des Indes demande un médecin, le grade de docteur n'étant pas exigé. Qu'auriez-vous fait à ma place?

LE DOCTEUR : Mais. . rien, sans doute.

KNOCK : Oui, vous, vous n'aviez pas la vocation. Moi, je me suis présenté. Comme j'ai horreur des situations fausses, j'ai déclaré en entrant : « Messieurs, je pourrais vous dire que je suis docteur, mais je ne suis pas docteur. Et je vous avouerai même quelque chose de plus grave : je ne sais pas encore quel sera mon sujet de thèse. » Ils me répondent qu'ils ne tiennent pas au titre de docteur et qu'ils se fichent complètement de mon sujet de thèse. Je réplique aussitôt : « Bien que n'étant pas docteur, je désire, pour des raisons de prestige et de discipline, qu'on m'appelle docteur à bord. » Ils me disent que c'est tout naturel. Mais je n'en continue pas moins à leur expliquer pendant un quart d'heure les raisons qui me font vaincre mes scrupules et réclamer cette appellation de docteur à laquelle, en conscience, je n'ai pas droit. Si bien qu'il nous est resté à peine trois minutes pour régler la question des honoraires.

LE DOCTEUR : Mais vous n'aviez réellement aucunes connaissances ?

KNOCK : Entendons-nous ! Depuis mon enfance, j'ai toujours lu avec passion les annonces médicales et pharmaceutiques des journaux, ainsi que les prospectus intitulés « mode d'emploi » que je trouvais enroulés autour des boîtes de pilules et des flacons de sirop qu'achetaient mes parents. Dès l'âge de neuf ans, je savais par cœur des tirades entières sur l'exonération imparfaite du constipé. Et encore aujourd'hui, je puis vous réciter une lettre admirable, adressée en 1897 par la veuve P..., de Bourges à la Tisane américaine des Shakers [1]. Voulez-vous ?

LE DOCTEUR : Merci, je vous crois.

KNOCK : Ces textes m'ont rendu familier de bonne heure avec le style de la profession. Mais surtout ils m'ont laissé transparaître le véritable esprit et la véritable destination de la médecine, que l'enseignement des Facultés dissimule sous le fatras scientifique. Je puis dire qu'à douze ans j'avais déjà un sentiment médical correct. Ma méthode actuelle en est sortie.

LE DOCTEUR : Vous avez une méthode ? Je serais curieux de la connaître.

KNOCK : Je ne fais pas de propagande. D'ailleurs, il n'y a que les résultats qui comptent. Aujourd'hui, de votre propre aveu, vous me livrez une clientèle nulle.

LE DOCTEUR : Nulle... pardon ! pardon !

KNOCK : Revenez voir dans un an ce que j'en aurai fait. La preuve sera péremptoire. En m'obligeant à partir de zéro, vous accroissez l'intérêt de l'expérience.

JEAN : Monsieur, monsieur... (*Le docteur Parpalaid va vers lui.*) Je crois que je ferais bien de démonter aussi le carburateur.

LE DOCTEUR : Faites, faites. (*Il revient.*) Comme notre conversation se prolonge, j'ai dit à ce garçon d'effectuer son nettoyage mensuel de carburateur.

MADAME PARPALAID : Mais, quand vous avez été sur votre bateau, comment vous en êtes-vous tiré ?

KNOCK : Les deux dernières nuits avant de m'embarquer, je les ai passées à réfléchir. Mes six mois de pratique à bord m'ont servi à vérifier mes conceptions. C'est un peu la façon dont on procède dans les hôpitaux.

MADAME PARPALAID : Vous aviez beaucoup de gens à soigner ?

KNOCK : L'équipage, et sept passagers, de condition très modeste. Trente-cinq personnes en tout.

MADAME PARPALAID : C'est un chiffre.

LE DOCTEUR : Et vous avez eu des morts ?

KNOCK : Aucune. C'était d'ailleurs contraire à mes principes. Je suis partisan de la diminution de la mortalité.

LE DOCTEUR : Comme nous tous.

KNOCK : Vous aussi ? Tiens ! Je n'aurais pas cru. Bref, j'estime que, malgré toutes les tentations contraires, nous devons travailler à la conservation du malade.

MADAME PARPALAID : Il y a du vrai dans ce que dit le docteur.

LE DOCTEUR : Et des malades, vous en avez eu beaucoup ?

KNOCK : Trente-cinq.

LE DOCTEUR : Tout le monde, alors ?

KNOCK : Oui, tout le monde.

MADAME PARPALAID : Mais comment le bateau a-t-il pu marcher ?

KNOCK : Un petit roulement à établir.

Silence.

LE DOCTEUR : Dites donc, maintenant, vous êtes bien réellement docteur ?... Parce qu'ici le titre est exigé, et vous nous causeriez de gros ennuis... Si vous n'étiez pas réellement docteur, il vaudrait mieux nous le confier tout de suite...

KNOCK : Je suis bien réellement et bien doctoralement docteur. Quand j'ai vu mes méthodes confirmées par l'expérience, je n'ai eu qu'une hâte, c'est de les appliquer sur la terre ferme, et en grand. Je n'ignorais pas que le doctorat est une formalité indispensable.

MADAME PARPALAID : Mais vous nous disiez que vos études étaient toutes récentes ?

KNOCK : Je n'ai pas pu les commencer dès ce moment-là. Pour vivre, j'ai dû m'occuper quelque temps du commerce des arachides.

MADAME PARPALAID : Qu'est-ce que c'est ?

KNOCK : L'arachide s'appelle aussi cacahuète. (*Mme Parpalaid fait un mouvement.*) Oh ! madame, je n'ai jamais été marchand au panier. J'avais créé un office central où les revendeurs venaient s'approvisionner. Je serais millionnaire si j'avais continué cela dix ans. Mais c'était très fastidieux. D'ailleurs, presque tous les métiers sécrètent l'ennui à la longue, comme je m'en suis rendu compte par moi-même. Il n'y a de vrai, décidément, que la médecine, peut-être aussi la politique, la finance et le sacerdoce que je n'ai pas encore essayés.

MADAME PARPALAID : Et vous pensez appliquer vos méthodes ici ?

KNOCK : Si je ne le pensais pas, madame, je prendrais mes jambes à mon cou, et vous ne me rattraperiez jamais. Évidemment je préférerais une grande ville.

MADAME PARPALAID, *à son mari :* Toi qui vas à Lyon, ne pourrais-tu pas demander au docteur quelques renseignements sur sa méthode ? Cela n'engage à rien.

LE DOCTEUR : Mais le docteur Knock ne semble pas tenir à la divulguer.

KNOCK, *au docteur Parpalaid, après un temps de réflexion :* Pour vous être agréable, je puis vous proposer l'arrangement suivant : au lieu de vous payer, Dieu sait quand, en espèces, je vous paye en nature : c'est-à-dire que je vous prends huit jours avec moi, et vous initie à mes procédés.

LE DOCTEUR, *piqué :* Vous plaisantez, mon cher confrère. C'est peut-être vous qui m'écrirez dans huit jours pour me demander conseil.

KNOCK : Je n'attendrai pas jusque-là. Je compte bien obtenir de vous aujourd'hui même plusieurs indications très utiles.

LE DOCTEUR : Disposez de moi, mon cher confrère.

KNOCK : Est-ce qu'il y a un tambour de ville, là-haut ?

LE DOCTEUR : Vous voulez dire un homme qui joue du tambour et qui fait des annonces au public ?

KNOCK : Parfaitement.

LE DOCTEUR : Il y a un tambour de ville. La municipalité le charge de certains avis. Les seuls particuliers qui recourent à lui sont les gens qui ont perdu leur porte-monnaie, ou encore quelque marchand forain qui solde un déballage de faïence et de porcelaine.

KNOCK : Bon. Saint-Maurice a combien d'habitants ?

LE DOCTEUR : Trois mille cinq cents dans l'agglomération, je crois, et près de six mille dans la commune.

KNOCK : Et l'ensemble du canton ?

LE DOCTEUR : Le double, au moins.

KNOCK : La population est pauvre ?

MADAME PARPALAID : Très à l'aise, au contraire, et même riche. Il y a de grosses fermes. Beaucoup de gens vivent de leurs rentes ou du revenu de leurs domaines.

LE DOCTEUR : Terriblement avares, d'ailleurs.

KNOCK : Il y a de l'industrie ?

LE DOCTEUR : Fort peu.

KNOCK : Du commerce ?

MADAME PARPALAID : Ce ne sont pas les boutiques qui manquent.

KNOCK : Les commerçants sont-ils très absorbés par leurs affaires ?

LE DOCTEUR : Ma foi non ! Pour la plupart, ce n'est qu'un supplément de revenus, et surtout une façon d'utiliser les loisirs.

MADAME PARPALAID : D'ailleurs, pendant que la femme garde la boutique, le mari se promène.

LE DOCTEUR : Ou réciproquement.

MADAME PARPALAID : Tu avoueras que c'est plutôt le mari. D'abord, les femmes ne sauraient guère où aller. Tandis que pour les hommes il y a la chasse, la pêche, les parties de quilles ; en hiver le café.

KNOCK : Les femmes sont-elles très pieuses ? (*Le docteur Parpalaid se met à rire.*) La question a pour moi son importance.

MADAME PARPALAID : Beaucoup vont à la messe.

KNOCK : Mais Dieu tient-il une place considérable dans leurs pensées quotidiennes ?

MADAME PARPALAID : Quelle idée !

KNOCK : Parfait ! (*Il réfléchit.*) Il n'y a pas de grands vices ?

LE DOCTEUR : Que voulez-vous dire ?

KNOCK : Opium, cocaïne, messes noires, sodomie, convictions politiques ?

LE DOCTEUR : Vous mélangez des choses si différentes ! Je n'ai jamais entendu parler d'opium ni de messes noires. Quant à la politique, on s'y intéresse comme partout.

KNOCK : Oui, mais en connaissez-vous qui feraient rôtir la plante des pieds de leurs père et mère en faveur du scrutin de liste [1] ou de l'impôt sur le revenu ?

LE DOCTEUR : Dieu merci, ils n'en sont pas là !

KNOCK : Et l'adultère ?

LE DOCTEUR : Quoi donc ?

KNOCK : A-t-il pris là-haut un développement exceptionnel ? Est-il l'objet d'une activité intense ?

LE DOCTEUR : Vos questions sont extraordinaires ! Il doit y avoir, comme ailleurs, des maris trompés, mais sans excès.

MADAME PARPALAID : D'abord, c'est très difficile. Les gens vous surveillent tellement...

KNOCK : Bon. Vous ne voyez rien d'autre à me signaler ? Par exemple dans l'ordre des sectes, des superstitions, des sociétés secrètes ?

MADAME PARPALAID : À un moment, plusieurs de ces dames ont fait du spiritisme.

KNOCK : Ah ! ah !

MADAME PARPALAID : L'on se réunissait chez la notairesse, et l'on faisait parler le guéridon.

KNOCK : Mauvais, mauvais. Détestable.

MADAME PARPALAID : Mais je crois qu'elles ont cessé.

KNOCK : Ah ? Tant mieux ! Et pas de sorcier, non plus, pas de thaumaturge ? Quelque vieux berger sentant le bouc qui guérit par l'imposition des mains ?

De temps en temps, l'on voit Jean tourner la manivelle jusqu'à perdre haleine, puis s'éponger le front.

LE DOCTEUR : Autrefois, peut-être, mais plus maintenant.

KNOCK, *il paraît agité, se frotte les paumes, et, tout en marchant :* En somme l'âge médical peut commencer. (*Il s'approche de la voiture.*) Mon cher confrère, serait-il inhumain de demander à ce véhicule un nouvel effort ? J'ai une hâte incroyable d'être à Saint-Maurice.

MADAME PARPALAID : Cela vous vient bien brusquement !

KNOCK : Je vous en prie, arrivons là-haut.

LE DOCTEUR : Qu'est-ce donc, de si puissant, qui vous y attire ?

KNOCK, *il fait quelques allées et venues en silence, puis :* Mon cher confrère, j'ai le sentiment que vous avez gâché là-haut une situation magnifique, et, pour parler votre style, fait laborieusement pousser des chardons là où voulait croître un verger plantureux. C'est couvert d'or que vous en deviez repartir, les fesses calées sur un matelas d'obligations ; vous, madame, avec trois rangs de perles au cou, tous deux à l'intérieur d'une étincelante limousine [1] (*il montre la guimbarde*) et non point sur ce monument des premiers efforts du génie moderne.

MADAME PARPALAID : Vous plaisantez, docteur ?

KNOCK : La plaisanterie serait cruelle, madame.

MADAME PARPALAID : Mais alors, c'est affreux ! Tu entends, Albert ?

LE DOCTEUR : J'entends que le docteur Knock est un chimérique et, de plus, un cyclothymique. Il est le jouet d'impressions extrêmes. Tantôt le poste ne valait pas deux sous. Maintenant, c'est un Pactole[1].

Il hausse les épaules.

MADAME PARPALAID : Toi aussi, tu es trop sûr de toi. Ne t'ai-je pas souvent dit qu'à Saint-Maurice, en sachant s'y prendre, on pouvait mieux faire que végéter ?

LE DOCTEUR : Bon, bon, bon ! Je reviendrai dans trois mois, pour la première échéance. Nous verrons où en est le docteur Knock.

KNOCK : C'est cela. Revenez dans trois mois. Nous aurons le temps de causer. Mais je vous en supplie, partons tout de suite.

LE DOCTEUR, *à Jean, timidement :* Vous êtes prêt ?

JEAN, *à mi-voix :* Oh ! moi, je serais bien prêt. Mais cette fois-ci, je ne crois pas que nous arriverons tout seuls à la mettre en marche.

LE DOCTEUR, *même jeu :* Comment cela ?

JEAN, *hochant la tête :* Il faudrait des hommes plus forts.

LE DOCTEUR : Et si on essayait de la pousser ?

JEAN, *sans conviction :* Peut-être.

LE DOCTEUR : Mais oui. Il y a vingt mètres en plaine. Je prendrai le volant. Vous pousserez.

JEAN : Oui.

LE DOCTEUR : Et ensuite, vous tâcherez de sauter sur le marchepied au bon moment, n'est-ce pas ? (*Le docteur revient vers les autres.*) Donc, en voiture, mon cher confrère, en voiture. C'est moi qui vais conduire. Jean, qui est un hercule, veut s'amuser à nous mettre en marche sans le secours de la manivelle, par une espèce de démarrage qu'on pourrait appeler automatique... bien que l'énergie électrique y soit remplacée par celle des muscles, qui est un peu de même nature, il est vrai. (*Jean s'arc-boute contre la caisse de la voiture.*)

RIDEAU

ACTE II

Dans l'ancien domicile de Parpalaid.

L'installation provisoire de Knock. Table, sièges, armoire-bibliothèque, chaise longue. Tableau noir, lavabo. Quelques figures anatomiques et histologiques au mur.

SCÈNE I

KNOCK, LE TAMBOUR DE VILLE

KNOCK, *assis, regarde la pièce et écrit :* C'est vous, le tambour de ville ?

LE TAMBOUR, *debout :* Oui, monsieur.

KNOCK : Appelez-moi docteur. Répondez-moi « oui, docteur », ou « non, docteur ».

LE TAMBOUR : Oui, docteur.

KNOCK : Et quand vous avez l'occasion de parler de moi au dehors, ne manquez jamais de vous exprimer ainsi : « Le docteur a dit », « le docteur a fait »... J'y attache de l'importance. Quand vous parliez entre vous du docteur Parpalaid, de quels termes vous serviez-vous ?

LE TAMBOUR : Nous disions : « C'est un brave homme, mais il n'est pas bien fort. »

KNOCK : Ce n'est pas ce que je vous demande. Disiez-vous « le docteur » ?

LE TAMBOUR : Non. « M. Parpalaid », ou « le médecin », ou encore « Ravachol [1] ».

KNOCK : Pourquoi « Ravachol » ?

LE TAMBOUR : C'est un surnom qu'il avait. Mais je n'ai jamais su pourquoi.

KNOCK Et vous ne le jugiez pas très fort?

LE TAMBOUR : Oh! pour moi, il était bien assez fort. Pour d'autres, il paraît que non.

KNOCK : Tiens!

LE TAMBOUR : Quand on allait le voir, il ne trouvait pas.

KNOCK : Qu'est-ce qu'il ne trouvait pas?

LE TAMBOUR : Ce que vous aviez. Neuf fois sur dix, il vous renvoyait en vous disant : « Ce n'est rien du tout. Vous serez sur pied demain, mon ami. »

KNOCK : Vraiment!

LE TAMBOUR : Ou bien, il vous écoutait à peine, en faisant « oui, oui », « oui, oui » et il se dépêchait de parler d'autre chose, pendant une heure, par exemple de son automobile.

KNOCK : Comme si l'on venait pour ça!

LE TAMBOUR : Et puis il vous indiquait des remèdes de quatre sous; quelquefois une simple tisane. Vous pensez bien que les gens qui payent huit francs pour une consultation n'aiment pas trop qu'on leur indique un remède de quatre sous. Et le plus bête n'a pas besoin du médecin pour boire une camomille.

KNOCK : Ce que vous m'apprenez me fait réellement de la peine. Mais je vous ai appelé pour un renseignement. Quel prix demandiez-vous au docteur Parpalaid quand il vous chargeait d'une annonce?

LE TAMBOUR, *avec amertume :* Il ne me chargeait jamais d'une annonce.

KNOCK : Oh! Qu'est-ce que vous me dites? Depuis trente ans qu'il était là?

LE TAMBOUR : Pas une seule annonce en trente ans, je vous jure.

KNOCK, *se relevant, un papier à la main :* Vous devez avoir oublié. Je ne puis pas vous croire. Bref, quels sont vos tarifs ?

LE TAMBOUR : Trois francs le petit tour et cinq francs le grand tour. Ça vous paraît peut-être cher. Mais il y a du travail. D'ailleurs, je conseille à monsieur...

KNOCK : « Au docteur »

LE TAMBOUR : Je conseille au docteur, s'il n'en est pas à deux francs près, de prendre le grand tour, qui est beaucoup plus avantageux.

KNOCK : Quelle différence y a-t il ?

LE TAMBOUR : Avec le petit tour, je m'arrête cinq fois : devant la Mairie, devant la Poste, devant l'Hôtel de la Clef, au Carrefour des Voleurs, et au coin de la Halle. Avec le grand tour, je m'arrête onze fois, c'est à savoir...

KNOCK : Bien, je prends le grand tour. Vous êtes disponible, ce matin ?

LE TAMBOUR : Tout de suite si vous voulez...

KNOCK : Voici donc le texte de l'annonce.

Il lui remet le papier

LE TAMBOUR *regarde le texte :* Je suis habitué aux écritures. Mais je préfère que vous me le lisiez une première fois.

KNOCK, *lentement. Le Tambour écoute d'une oreille professionnelle :* « Le docteur Knock, successeur du docteur Parpalaid, présente ses compliments à la population de la ville et du canton de Saint-Maurice, et a l'honneur de lui faire connaître que, dans un esprit philanthropique, et pour enrayer le progrès inquiétant des maladies de toutes sortes qui envahissent depuis quelques années nos régions si salubres autrefois... »

LE TAMBOUR : Ça, c'est rudement vrai !

KNOCK : « ... il donnera tous les lundis matin, de neuf heures trente à onze heures trente, une consultation entièrement gratuite, réservée aux habitants du canton. Pour les personnes étrangères au canton, la consultation restera au prix ordinaire de huit francs. »

LE TAMBOUR, *recevant le papier avec respect :* Eh bien ! C'est une belle idée ! une idée qui sera appréciée ! Une idée de bienfaiteur ! (*Changeant de ton.*) Mais vous savez que nous sommes lundi. Si je fais l'annonce ce matin, il va vous en arriver dans cinq minutes.

KNOCK : Si vite que cela, vous croyez ?

LE TAMBOUR : Et puis, vous n'aviez peut-être pas pensé que le lundi est jour de marché ? La moitié du canton est là. Mon annonce va tomber dans tout ce monde. Vous ne saurez plus où donner de la tête.

KNOCK : Je tâcherai de me débrouiller.

LE TAMBOUR : Il y a encore ceci : que c'est le jour du marché que vous aviez le plus de chances d'avoir des clients. M. Parpalaid n'en voyait guère que ce jour-là. (*Familièrement.*) Si vous les recevez gratis...

KNOCK : Vous comprenez, mon ami, ce que je veux, avant tout, c'est que les gens se soignent. Si je voulais gagner de l'argent, c'est à Paris que je m'installerais, ou à New York.

LE TAMBOUR : Ah ! vous avez mis le doigt dessus. On ne se soigne pas assez. On ne veut pas s'écouter, et on se mène trop durement. Quand le mal vous tient, on se force. Autant vaudrait-il être des animaux.

KNOCK : Je remarque que vous raisonnez avec une grande justesse, mon ami.

LE TAMBOUR, *se gonflant :* Oh ! sûr, que je raisonne, moi. Je n'ai pas l'instruction que je devrais. Mais il y en a de plus instruits qui ne m'en remontreraient pas. M. le maire, pour ne pas le nommer, en sait quelque chose. Si je vous racontais qu'un jour, monsieur...

KNOCK : Docteur.

LE TAMBOUR, *avec ivresse :* Docteur !... qu'un jour, M. le préfet, en personne, se trouvait à la mairie dans la grande salle des mariages, et même que vous pourriez demander attestation du fait à des notabilités présentes, à M. le premier adjoint, pour ne pas le nommer, ou à M. Michalon, et qu'alors...

KNOCK : Et qu'alors M. le préfet a vu tout de suite à qui il avait affaire, et que le tambour de ville était un tambour qui raisonnait mieux que d'autres qui n'étaient pas tambours mais qui se prenaient pour quelque chose de bien plus fort qu'un tambour. Et qui est-ce qui n'a plus su quoi dire ? C'est M. le maire.

LE TAMBOUR, *extasié :* C'est l'exacte vérité ! Il n'y a pas un mot à changer ! On jurerait que vous étiez là, caché dans un petit coin.

KNOCK : Je n'y étais pas, mon ami.

LE TAMBOUR : Alors, c'est quelqu'un qui vous l'a raconté, et quelqu'un de bien placé ? (*Knock fait un geste de réserve diplomatique.*) Vous ne m'ôterez pas de la tête que vous en avez causé récemment avec M. le préfet.

Knock se contente de sourire.

KNOCK, *se levant :* Donc, je compte sur vous, mon ami. Et rondement, n'est-ce pas ?

LE TAMBOUR, *après plusieurs hésitations :* Je ne pourrai pas venir tout à l'heure, ou j'arriverai trop tard. Est-ce que ça serait un effet de votre bonté de me donner ma consultation maintenant ?

KNOCK : Heu... oui. Mais dépêchons-nous. J'ai rendez-vous avec M. Bernard, l'instituteur, et avec M. le pharmacien Mousquet. Il faut que je les reçoive avant que les gens n'arrivent. De quoi souffrez-vous ?

LE TAMBOUR : Attendez que je réfléchisse ! (*Il rit.*) Voilà. Quand j'ai dîné, il y a des fois que je sens une espèce de démangeaison ici. (*Il montre le haut de son épigastre.*) Ça me chatouille, ou plutôt, ça me grattouille.

KNOCK, *d'un air de profonde concentration :* Attention. Ne confondons pas. Est-ce que ça vous chatouille, ou est-ce que ça vous grattouille ?

LE TAMBOUR : Ça me grattouille. (*Il médite.*) Mais ça me chatouille bien un peu aussi.

KNOCK : Désignez-moi exactement l'endroit.

LE TAMBOUR : Par ici.

KNOCK : Par ici... où cela, par ici ?

LE TAMBOUR : Là. Ou peut-être là... Entre les deux.

KNOCK : Juste entre les deux ?... Est-ce que ça ne serait pas plutôt un rien à gauche, là, où je mets mon doigt ?

LE TAMBOUR : Il me semble bien.

KNOCK : Ça vous fait mal quand j'enfonce mon doigt ?

LE TAMBOUR : Oui, on dirait que ça me fait mal.

KNOCK : Ah ! ah ! (*Il médite d'un air sombre.*) Est-ce que ça ne vous grattouille pas davantage quand vous avez mangé de la tête de veau à la vinaigrette ?

LE TAMBOUR : Je n'en mange jamais. Mais il me semble que si j'en mangeais, effectivement, ça me grattouillerait plus.

KNOCK : Ah ! ah ! très important. Ah ! ah ! quel âge avez-vous ?

LE TAMBOUR : Cinquante et un, dans mes cinquante-deux.

KNOCK : Plus près de cinquante-deux ou de cinquante et un ?

LE TAMBOUR, *il se trouble peu à peu :* Plus près de cinquante-deux. Je les aurai fin novembre.

KNOCK, *lui mettant la main sur l'épaule :* Mon ami, faites votre travail aujourd'hui comme d'habitude. Ce soir, couchez-vous de bonne heure. Demain matin, gardez le lit. Je passerai vous voir. Pour vous, mes visites seront gratuites. Mais ne le dites pas. C'est une faveur.

LE TAMBOUR, *avec anxiété :* Vous êtes trop bon, docteur. Mais c'est donc grave, ce que j'ai ?

KNOCK : Ce n'est peut-être pas encore très grave. Il était temps de vous soigner. Vous fumez ?

LE TAMBOUR, *tirant son mouchoir :* Non, je chique.

KNOCK : Défense absolue de chiquer. Vous aimez le vin ?

LE TAMBOUR : J'en bois raisonnablement.

KNOCK : Plus une goutte de vin. Vous êtes marié ?

LE TAMBOUR : Oui, docteur.

Le Tambour s'essuie le front.

KNOCK : Sagesse totale de ce côté-là, hein ?

LE TAMBOUR : Je puis manger ?

KNOCK : Aujourd'hui, comme vous travaillez, prenez un peu de potage. Demain, nous en viendrons à des restrictions plus sérieuses. Pour l'instant, tenez-vous-en à ce que je vous ai dit.

LE TAMBOUR *s'essuie à nouveau :* Vous ne croyez pas qu'il vaudrait mieux que je me couche tout de suite ? Je ne me sens réellement pas à mon aise.

KNOCK, *ouvrant la porte :* Gardez-vous-en bien ! Dans votre cas, il est mauvais d'aller se mettre au lit entre le lever et le coucher du soleil. Faites vos annonces comme si de rien n'était, et attendez tranquillement jusqu'à ce soir.

Le Tambour sort. Knock le reconduit.

SCÈNE II

KNOCK, L'INSTITUTEUR BERNARD

KNOCK : Bonjour, monsieur Bernard. Je ne vous ai pas trop dérangé en vous priant de venir à cette heure-ci ?

BERNARD : Non, non, docteur. J'ai une minute. Mon adjoint surveille la récréation.

KNOCK : J'étais impatient de m'entretenir avec vous. Nous avons tant de choses à faire ensemble, et de si urgentes. Ce n'est pas moi qui laisserai s'interrompre la collaboration si précieuse que vous accordiez à mon prédécesseur.

BERNARD : La collaboration ?

KNOCK : Remarquez que je ne suis pas homme à imposer mes idées, ni à faire table rase de ce qu'on a édifié avant moi. Au début, c'est vous qui serez mon guide.

BERNARD : Je ne vois pas bien...

KNOCK : Ne touchons à rien pour le moment. Nous améliorerons par la suite s'il y a lieu.

Knock s'assoit.

BERNARD : Mais...

KNOCK : Qu'il s'agisse de la propagande, ou des causeries populaires, ou de nos petites réunions à nous, vos procédés seront les miens, vos heures seront les miennes.

BERNARD : C'est que, docteur, je crains de ne pas bien saisir à quoi vous faites allusion.

KNOCK : Je veux dire tout simplement que je désire maintenir intacte la liaison avec vous, même pendant ma période d'installation.

BERNARD : Il doit y avoir quelque chose qui m'échappe...

KNOCK : Voyons ! Vous étiez bien en relations constantes avec le docteur Parpalaid ?

BERNARD : Je le rencontrais de temps en temps à l'estaminet de l'Hôtel de la Clef. Il nous arrivait de faire un billard.

KNOCK : Ce n'est pas de ces relations-là que je veux parler.

BERNARD : Nous n'en avions pas d'autres.

KNOCK : Mais... mais... comment vous étiez-vous réparti l'enseignement populaire de l'hygiène, l'œuvre de propagande dans les familles... que sais-je, moi ! Les mille besognes que le médecin et l'instituteur ne peuvent faire que d'accord ?

BERNARD : Nous ne nous étions rien réparti du tout.

KNOCK : Quoi ! Vous aviez préféré agir chacun isolément ?

BERNARD : C'est bien plus simple. Nous n'y avons jamais pensé ni l'un ni l'autre. C'est la première fois qu'il est question d'une chose pareille à Saint-Maurice.

KNOCK, *avec tous les signes d'une surprise navrée :* Ah !... Si je ne l'entendais pas de votre bouche, je vous assure que je n'en croirais rien.

Un silence.

BERNARD : Je suis désolé de vous causer cette déception, mais ce n'est pas moi qui pouvais prendre une initiative de ce genre-là, vous l'admettrez, même si j'en avais eu l'idée, et même si le travail de l'école me laissait plus de loisir.

KNOCK : Évidemment ! Vous attendiez un appel qui n'est pas venu.

BERNARD : Chaque fois qu'on m'a demandé un service, j'ai tâché de le rendre.

KNOCK : Je le sais, monsieur Bernard, je le sais. (*Un silence.*) Voilà donc une malheureuse population qui est entièrement abandonnée à elle-même au point de vue hygiénique et prophylactique !

BERNARD : Dame !

KNOCK : Je parie qu'ils boivent de l'eau sans penser aux milliards de bactéries qu'ils avalent à chaque gorgée.

BERNARD : Oh ! certainement.

KNOCK : Savent-ils même ce que c'est qu'un microbe ?

BERNARD : J'en doute fort ! Quelques-uns connaissent le mot, mais ils doivent se figurer qu'il s'agit d'une espèce de mouche.

KNOCK, *il se lève :* C'est effrayant. Écoutez, cher monsieur Bernard, nous ne pouvons pas, à nous deux, réparer en huit jours des années de... disons d'insouciance. Mais il faut faire quelque chose.

BERNARD : Je ne m'y refuse pas. Je crains seulement de ne pas vous être d'un grand secours.

KNOCK : Monsieur Bernard, quelqu'un qui est bien renseigné sur vous, m'a révélé que vous aviez un grave défaut : la modestie. Vous êtes le seul à ignorer que vous possédez ici une autorité morale et une influence personnelle peu communes. Je vous demande pardon d'avoir à vous le dire. Rien de sérieux ici ne se fera sans vous.

BERNARD : Vous exagérez, docteur.

KNOCK : C'est entendu ! Je puis soigner sans vous mes malades. Mais la maladie, qui est-ce qui m'aidera à la combattre, à la débusquer ? Qui est-ce qui instruira ces pauvres gens sur les périls de chaque seconde qui assiègent leur organisme ? Qui leur apprendra qu'on ne doit pas attendre d'être mort pour appeler le médecin ?

BERNARD : Ils sont très négligents. Je n'en disconviens pas.

KNOCK, *s'animant de plus en plus :* Commençons par le commencement. J'ai ici la matière de plusieurs causeries de vulgarisation, des notes très complètes, de bons clichés, et une lanterne. Vous arrangerez tout cela comme vous savez le faire. Tenez, pour débuter, une petite conférence, toute écrite, ma foi, et très agréable, sur la fièvre typhoïde, les formes insoupçonnées qu'elle prend, ses véhicules innombrables : eau, pain, lait, coquillages, légumes, salades, poussières, haleine, etc... les semaines et les mois durant lesquels elle couve sans se trahir, les accidents mortels qu'elle déchaîne soudain, les complications redoutables qu'elle charrie à sa suite ; le tout agrémenté de jolies vues : bacilles formidablement grossis, détail d'excréments typhiques, ganglions infectés, perforations d'intestin, et pas en noir, en couleurs, des roses, des marrons, des jaunes et des blancs verdâtres que vous imaginez. (*Il se rassied.*)

BERNARD, *le cœur chaviré :* C'est que... je suis très impressionnable... Si je me plonge là-dedans, je n'en dormirai plus.

KNOCK : Voilà justement ce qu'il faut. Je veux dire : voilà l'effet de saisissement que nous devons porter jusqu'aux entrailles de l'auditoire. Vous, monsieur Bernard, vous vous y habituerez. Qu'ils n'en dorment plus ! (*Penché sur lui.*) Car leur tort, c'est de dormir, dans une sécurité trompeuse dont les réveille trop tard le coup de foudre de la maladie.

BERNARD, *tout frissonnant, la main sur le bureau, regard détourné :* Je n'ai pas déjà une santé si solide. Mes parents ont eu beaucoup de peine à m'élever. Je sais bien que, sur vos clichés, tous ces microbes ne sont qu'en reproduction. Mais, enfin...

KNOCK, *comme s'il n'avait rien entendu :* Pour ceux que notre première conférence aurait laissés froids, j'en tiens une autre, dont le titre n'a l'air de rien : « Les porteurs de germes ». Il y est démontré, clair comme le jour, à l'aide de cas observés, qu'on peut se promener avec une figure ronde, une langue rose, un excellent appétit, et receler dans tous les replis de son corps des trillions de bacilles de la dernière virulence capables d'infecter un département. (*Il se lève.*) Fort de la théorie et de l'expérience, j'ai le droit de soupçonner le premier venu d'être un porteur de germes. Vous, par exemple, absolument rien ne me prouve que vous n'en êtes pas un.

BERNARD *se lève* : Moi ! docteur...

KNOCK : Je serais curieux de connaître quelqu'un qui, au sortir de cette deuxième petite causerie, se sentirait d'humeur à batifoler.

BERNARD : Vous pensez que moi, docteur, je suis un porteur de germes ?

KNOCK : Pas vous spécialement. J'ai pris un exemple. Mais j'entends la voix de M. Mousquet. À bientôt, cher monsieur Bernard, et merci de votre adhésion, dont je ne doutais pas.

SCÈNE III

KNOCK, LE PHARMACIEN MOUSQUET

KNOCK : Asseyez vous, cher monsieur Mousquet. Hier, j'ai eu à peine le temps de jeter un coup d'œil sur l'intérieur de votre pharmacie. Mais il n'en faut pas davantage pour constater l'excellence de votre installation, l'ordre méticuleux qui y règne et le modernisme du moindre détail.

MOUSQUET, *tenue très simple, presque négligée :* Docteur, vous êtes trop indulgent !

KNOCK : C'est une chose qui me tient au cœur. Pour moi, le médecin qui ne peut pas s'appuyer sur un pharmacien de premier ordre est un général qui va à la bataille sans artillerie.

MOUSQUET : Je suis heureux de voir que vous appréciez l'importance de la profession.

KNOCK : Et moi de me dire qu'une organisation comme la vôtre trouve certainement sa récompense, et que vous vous faites bien dans l'année un minimum de vingt-cinq mille.

MOUSQUET : De bénéfices ? Ah ! mon Dieu ! Si je m'en faisais seulement la moitié !

KNOCK : Cher monsieur Mousquet, vous avez en face de vous non point un agent du fisc, mais un ami, et j'ose dire un collègue.

MOUSQUET : Docteur, je ne vous fais pas l'injure de me méfier de vous. Je vous ai malheureusement dit la vérité. (*Une pause.*) J'ai toutes les peines du monde à dépasser les dix mille.

KNOCK : Savez-vous bien que c'est scandaleux ! (*Mousquet hausse tristement les épaules.*) Dans ma pensée, le chiffre de vingt-cinq mille était un minimum... Vous n'avez pourtant pas de concurrent ?

MOUSQUET : Aucun, à près de cinq lieues à la ronde.

KNOCK : Alors quoi ? des ennemis ?

MOUSQUET : Je ne m'en connais pas.

KNOCK, *baissant la voix :* Jadis, vous n'auriez pas eu d'histoire fâcheuse... une distraction... cinquante grammes de laudanum [1] en place d'huile de ricin ?... C'est si vite fait.

MOUSQUET : Pas le plus minime incident, je vous prie de le croire, en vingt années d'exercice.

KNOCK : Alors... alors.. je répugne à former d'autres hypothèses... Mon prédécesseur... aurait-il été au-dessous de sa tâche ?

MOUSQUET : C'est une affaire de point de vue.

KNOCK : Encore une fois, cher monsieur Mousquet, nous sommes strictement entre nous.

MOUSQUET : Le docteur Parpalaid est un excellent homme. Nous avions les meilleures relations privées.

KNOCK : Mais on ne ferait pas un gros volume avec le recueil de ses ordonnances ?

MOUSQUET : Vous l'avez dit.

KNOCK : Quand je rapproche tout ce que je sais de lui maintenant, j'en arrive à me demander s'il croyait en la médecine.

MOUSQUET : Dans les débuts, je faisais loyalement mon possible. Dès que les gens se plaignaient à moi, et que cela me paraissait un peu grave, je les lui envoyais. Bonsoir ! Je ne les voyais plus revenir.

KNOCK : Ce que vous me dites m'affecte plus que je ne voudrais. Nous avons, cher monsieur Mousquet, deux des plus beaux métiers qu'on connaisse. N'est-ce pas une honte que de les faire peu à peu déchoir du haut degré de prospérité et de puissance où nos devanciers les avaient mis ? Le mot de sabotage me vient aux lèvres.

MOUSQUET : Oui, certes. Toute question d'argent à part, il y a conscience à se laisser glisser ainsi au-dessous du ferblantier et de l'épicier. Je vous assure, docteur, que ma femme serait bien empêchée de se payer les chapeaux et les bas de soie que la femme du ferblantier arbore semaine et dimanche.

KNOCK : Taisez-vous, cher ami, vous me faites mal. C'est comme si j'entendais dire que la femme d'un président de chambre en est réduite à laver le linge de sa boulangère pour avoir du pain.

MOUSQUET : Si madame Mousquet était là, vos paroles lui iraient à l'âme.

KNOCK : Dans un canton comme celui-ci nous devrions, vous et moi, ne pas pouvoir suffire à la besogne.

MOUSQUET : C'est juste.

KNOCK : Je pose en principe que tous les habitants du canton sont *ipso facto* nos clients désignés.

MOUSQUET : Tous, c'est beaucoup demander.

KNOCK : Je dis tous.

MOUSQUET : Il est vrai qu'à un moment ou l'autre de sa vie, chacun peut devenir notre client par occasion.

KNOCK : Par occasion? Point du tout. Client régulier, client fidèle.

MOUSQUET : Encore faut-il qu'il tombe malade!

KNOCK : « Tomber malade », vieille notion qui ne tient plus devant les données de la science actuelle. La santé n'est qu'un mot, qu'il n'y aurait aucun inconvénient à rayer de notre vocabulaire. Pour ma part, je ne connais que des gens plus ou moins atteints de maladies plus ou moins nombreuses à évolution plus ou moins rapide. Naturellement, si vous allez leur dire qu'ils se portent bien, ils ne demandent qu'à vous croire. Mais vous les trompez. Votre seule excuse, c'est que vous ayez déjà trop de malades à soigner pour en prendre de nouveaux.

MOUSQUET : En tout cas, c'est une très belle théorie.

KNOCK : Théorie profondément moderne, monsieur Mousquet, réfléchissez-y, et toute proche parente de l'admirable idée de la nation armée, qui fait la force de nos États.

MOUSQUET : Vous êtes un penseur, vous, docteur Knock, et les matérialistes auront beau soutenir le contraire, la pensée mène le monde.

KNOCK, *il se lève :* Écoutez-moi. (*Tous deux sont debout. Knock saisit les mains de Mousquet.*) Je suis peut-être présomptueux. D'amères désillusions me sont peut-être réservées. Mais si, dans un an, jour pour jour, vous n'avez pas gagné les vingt-cinq mille francs nets qui vous sont dus, si madame Mousquet n'a pas les robes, les chapeaux et les bas que sa condition exige, je vous autorise à venir me faire une scène ici, et je tendrai les deux joues pour que vous m'y déposiez chacun un soufflet.

MOUSQUET : Cher docteur, je serais un ingrat, si je ne vous remerciais pas avec effusion, et un misérable si je ne vous aidais pas de tout mon pouvoir.

KNOCK : Bien, bien. Comptez sur moi comme je compte sur vous.

SCÈNE IV

KNOCK, LA DAME EN NOIR

Elle a quarante-cinq ans et respire l'avarice paysanne et la constipation[1].

KNOCK : Ah ! voici les consultants. (*À la cantonade.*) Une douzaine, déjà ? Prévenez les nouveaux arrivants qu'après onze heures et demie je ne puis plus recevoir personne, au moins en consultation gratuite. C'est vous qui êtes la première, madame ? (*Il fait entrer la dame en noir et referme la porte.*) Vous êtes bien du canton ?

LA DAME EN NOIR : Je suis de la commune.

KNOCK : De Saint-Maurice même ?

LA DAME : J'habite la grande ferme qui est sur la route de Luchère.

KNOCK : Elle vous appartient ?

LA DAME : Oui, à mon mari et à moi.

KNOCK : Si vous l'exploitez vous-même, vous devez avoir beaucoup de travail ?

LA DAME : Pensez ! monsieur, dix-huit vaches, deux bœufs, deux taureaux, la jument et le poulain, six chèvres, une bonne douzaine de cochons, sans compter la basse-cour.

KNOCK : Diable ! Vous n'avez pas de domestiques ?

LA DAME : Dame si. Trois valets, une servante, et les journaliers dans la belle saison.

KNOCK : Je vous plains. Il ne doit guère vous rester de temps pour vous soigner ?

LA DAME : Oh ! non.

KNOCK : Et pourtant vous souffrez.

LA DAME : Ce n'est pas le mot. J'ai plutôt de la fatigue.

KNOCK : Oui, vous appelez ça de la fatigue. (*Il s'approche d'elle.*) Tirez la langue. Vous ne devez pas avoir beaucoup d'appétit.

LA DAME : Non.

KNOCK : Vous êtes constipée.

LA DAME : Oui, assez.

KNOCK, *il l'ausculte :* Baissez la tête. Respirez. Toussez. Vous n'êtes jamais tombée d'une échelle, étant petite ?

LA DAME : Je ne me souviens pas.

KNOCK, *il lui palpe et lui percute le dos, lui presse brusquement les reins :* Vous n'avez jamais mal ici le soir en vous couchant ? Une espèce de courbature ?

LA DAME : Oui, des fois.

KNOCK, *il continue de l'ausculter :* Essayez de vous rappeler. Ça devait être une grande échelle.

LA DAME : Ça se peut bien.

KNOCK, *très affirmatif :* C'était une échelle d'environ trois mètres cinquante, posée contre un mur. Vous êtes tombée à la renverse. C'est la fesse gauche, heureusement, qui a porté.

LA DAME : Ah oui !

KNOCK : Vous aviez déjà consulté le docteur Parpalaid ?

LA DAME : Non, jamais.

KNOCK : Pourquoi ?

LA DAME : Il ne donnait pas de consultations gratuites.

Un silence.

KNOCK, *la fait asseoir :* Vous vous rendez compte de votre état ?

LA DAME : Non.

KNOCK, *il s'assied en face d'elle :* Tant mieux. Vous avez envie de guérir, ou vous n'avez pas envie ?

LA DAME : J'ai envie.

KNOCK : J'aime mieux vous prévenir tout de suite que ce sera très long et très coûteux.

LA DAME : Ah ! mon Dieu ! Et pourquoi ça ?

KNOCK : Parce qu'on ne guérit pas en cinq minutes un mal qu'on traîne depuis quarante ans.

LA DAME : Depuis quarante ans ?

KNOCK : Oui, depuis que vous êtes tombée de votre échelle.

LA DAME : Et combien est-ce que ça me coûterait ?

KNOCK : Qu'est-ce que valent les veaux, actuellement ?

LA DAME : Ça dépend des marchés et de la grosseur. Mais on ne peut guère en avoir de propres à moins de quatre ou cinq cents francs.

KNOCK : Et les cochons gras ?

LA DAME : Il y en a qui font plus de mille.

KNOCK : Eh bien ! ça vous coûtera à peu près deux cochons et deux veaux.

LA DAME : Ah ! là là ! Près de trois mille francs ? C'est une désolation, Jésus Marie !

KNOCK : Si vous aimez mieux faire un pèlerinage, je ne vous en empêche pas.

LA DAME : Oh ! un pèlerinage, ça revient cher aussi et ça ne réussit pas souvent. (*Un silence.*) Mais qu'est-ce que je peux donc avoir de si terrible que ça ?

KNOCK, *avec une grande courtoisie :* Je vais vous l'expliquer en une minute au tableau noir. (*Il va au tableau et commence un croquis.*) Voici votre moelle épinière, en coupe, très schématiquement, n'est-ce pas ? Vous reconnaissez ici votre faisceau de Türck [1] et ici votre colonne de Clarke [2]. Vous me suivez ? Eh bien ! quand vous êtes tombée de l'échelle, votre Türck et votre Clarke ont glissé en sens inverse (*il trace des flèches de direction*) de quelques dixièmes de millimètres. Vous me direz que c'est très peu. Évidemment. Mais c'est très mal placé. Et puis vous avez ici un tiraillement continu qui s'exerce sur les multipolaires [3].

Il s'essuie les doigts.

LA DAME : Mon Dieu ! Mon Dieu !

KNOCK : Remarquez que vous ne mourrez pas du jour au lendemain. Vous pouvez attendre.

LA DAME : Oh ! là là ! J'ai bien eu du malheur de tomber de cette échelle !

KNOCK : Je me demande même s'il ne vaut pas mieux laisser les choses comme elles sont. L'argent est si dur à gagner. Tandis que les années de vieillesse, on en a toujours bien assez. Pour le plaisir qu'elles donnent !

LA DAME : Et en faisant ça plus... grossièrement, vous ne pourriez pas me guérir à moins cher ?... à condition que ce soit bien fait tout de même.

KNOCK : Ce que je puis vous proposer, c'est de vous mettre en observation. Ça ne vous coûtera presque rien. Au bout de quelques jours vous vous rendrez compte par vous-même de la tournure que prendra le mal, et vous vous déciderez.

LA DAME : Oui, c'est ça.

KNOCK : Bien. Vous allez rentrer chez vous. Vous êtes venue en voiture ?

LA DAME : Non, à pied.

KNOCK, *tandis qu'il rédige l'ordonnance, assis à sa table :* Il faudra tâcher de trouver une voiture. Vous vous coucherez en arrivant. Une chambre où vous serez seule, autant que possible. Faites fermer les volets et les rideaux pour que la lumière ne vous gêne pas. Défendez qu'on vous parle. Aucune alimentation solide pendant une semaine. Un verre d'eau de Vichy toutes les deux heures, et, à la rigueur, une moitié de biscuit, matin et soir, trempée dans un doigt de lait. Mais j'aimerais autant que vous vous passiez de biscuit. Vous ne direz pas que je vous ordonne des remèdes coûteux ! À la fin de la semaine, nous verrons comment vous vous sentez. Si vous êtes gaillarde, si vos forces et votre gaîté sont revenues, c'est que le mal est moins sérieux qu'on ne pouvait croire, et je serai le premier à vous rassurer. Si, au contraire, vous éprouvez une faiblesse générale, des lourdeurs de tête, et une certaine paresse à vous lever, l'hésitation ne sera plus permise, et nous commencerons le traitement. C'est convenu ?

LA DAME, *soupirant :* Comme vous voudrez.

KNOCK, *désignant l'ordonnance :* Je rappelle mes prescriptions sur ce bout de papier. Et j'irai vous voir bientôt. (*Il lui remet l'ordonnance et la reconduit. À la cantonade.*) Mariette, aidez madame à descendre l'escalier et à trouver une voiture.

On aperçoit quelques visages de consultants que la sortie de la dame en noir frappe de crainte et de respect.

SCÈNE V

KNOCK, LA DAME EN VIOLET

Elle a soixante ans ; toutes les pièces de son costume sont de la même nuance de violet ; elle s'appuie assez royalement sur une sorte d'alpenstock[1].

LA DAME EN VIOLET, *avec emphase :* Vous devez bien être étonné, docteur, de me voir ici.

KNOCK : Un peu étonné, madame.

LA DAME : Qu'une dame Pons, née demoiselle Lempoumas, vienne à une consultation gratuite, c'est en effet assez extraordinaire.

KNOCK : C'est surtout flatteur pour moi

LA DAME : Vous vous dites peut-être que c'est là un des jolis résultats du gâchis actuel, et que, tandis qu'une quantité de malotrus et de marchands de cochons roulent carrosse et sablent le champagne avec des actrices, une demoiselle Lempoumas, dont la famille remonte sans interruption jusqu'au XIIIe siècle et a possédé jadis la moitié du pays, et qui a des alliances avec toute la noblesse et la haute bourgeoisie du département, en est réduite à faire la queue, avec les pauvres et pauvresses de Saint-Maurice ? Avouez, docteur, qu'on a vu mieux.

KNOCK *la fait asseoir :* Hélas oui, madame.

LA DAME : Je ne vous dirai pas que mes revenus soient restés ce qu'ils étaient autrefois, ni que j'aie conservé la maisonnée de six domestiques et l'écurie de quatre chevaux qui étaient de règle dans la famille jusqu'à la mort de mon oncle. J'ai même dû vendre, l'an dernier, un domaine de cent soixante hectares, la Michouille, qui me venait de ma grand-mère maternelle. Ce nom de la Michouille a des origines gréco-latines, à ce que prétend M. le curé. Il dériverait de *mycodium* et voudrait dire : haine du champignon, pour cette raison qu'on n'aurait jamais trouvé un seul champignon dans ce domaine, comme si le sol en avait horreur. Il est vrai qu'avec les impôts et les réparations, il ne me rapportait plus qu'une somme ridicule, d'autant que, depuis la mort de mon mari, les fermiers abusaient volontiers de la situation et sollicitaient à tout bout de champ des réductions ou des délais. J'en avais assez, assez, assez ! Ne croyez-vous pas, docteur, que, tout compte fait, j'ai eu raison de me débarrasser de ce domaine ?

KNOCK, *qui n'a cessé d'être parfaitement attentif :* Je le crois, madame, surtout si vous aimez les champignons, et si, d'autre part, vous avez bien placé votre argent.

LA DAME : Aïe ! Vous avez touché le vif de la plaie ! Je me demande jour et nuit si je l'ai bien placé, et j'en doute, j'en doute terriblement. J'ai suivi les conseils de ce gros bêta de notaire, au demeurant le meilleur des hommes. Mais je le crois moins lucide que le guéridon de sa chère femme, qui, comme vous le savez, servit quelque temps de truchement aux esprits. En particulier, j'ai acheté un tas d'actions de charbonnages. Docteur, que pensez-vous des charbonnages ?

KNOCK : Ce sont, en général, d'excellentes valeurs, un peu spéculatives peut-être, sujettes à des hausses inconsidérées suivies de baisses inexplicables.

LA DAME : Ah ! mon Dieu ! Vous me donnez la chair de poule. J'ai l'impression de les avoir achetées en pleine hausse. Et j'en ai pour plus de cinquante mille francs. D'ailleurs, c'est une folie de mettre une somme pareille dans les charbonnages, quand on n'a pas une grosse fortune.

KNOCK : Il me semble, en effet, qu'un tel placement ne devrait jamais représenter plus du dixième de l'avoir total.

LA DAME : Ah ? Pas plus du dixième ? Mais s'il ne représente pas plus du dixième, ce n'est pas une folie proprement dite ?

KNOCK : Nullement.

LA DAME : Vous me rassurez, docteur. J'en avais besoin. Vous ne sauriez croire quels tourments me donne la gestion de mes quatre sous. Je me dis parfois qu'il me faudrait d'autres soucis pour chasser celui-là. Docteur, la nature humaine est une pauvre chose. Il est écrit que nous ne pouvons déloger un tourment qu'à condition d'en installer un autre à la place. Mais au moins trouve-t-on quelque répit à en changer. Je voudrais ne plus penser toute la journée à mes locataires, à mes fermiers et à mes titres. Je ne puis pourtant pas, à mon âge, courir les aventures amoureuses — ah ! ah ! ah ! — ni entreprendre un voyage autour du monde. Mais vous attendez, sans doute, que je vous explique pourquoi j'ai fait queue à votre consultation gratuite ?

KNOCK : Quelle que soit votre raison, madame, elle est certainement excellente.

LA DAME : Voilà ! J'ai voulu donner l'exemple. Je trouve que vous avez eu là, docteur, une belle et noble inspiration. Mais, je connais mes gens. J'ai pensé : « Ils n'en ont pas l'habitude, ils n'iront pas. Et ce monsieur en sera pour sa générosité. » Et je me suis dit : « S'ils voient qu'une dame Pons, demoiselle Lempoumas, n'hésite pas à inaugurer les consultations gratuites, ils n'auront plus honte de s'y montrer. » Car mes moindres gestes sont observés et commentés. C'est bien naturel.

KNOCK : Votre démarche est très louable, madame. Je vous en remercie.

LA DAME *se lève, faisant mine de se retirer :* Je suis enchantée, docteur, d'avoir fait votre connaissance. Je reste chez moi toutes les après-midi. Il vient quelques personnes. Nous faisons salon autour d'une vieille théière Louis XV que j'ai héritée de mon aïeule. Il y aura toujours une tasse de côté pour vous. (*Knock s'incline. Elle avance encore vers la porte.*) Vous savez que je suis réellement très, très tourmentée avec mes locataires et mes titres. Je passe des nuits sans dormir. C'est horriblement fatigant. Vous ne connaîtriez pas, docteur, un secret pour faire dormir ?

KNOCK : Il y a longtemps que vous souffrez d'insomnie ?

LA DAME : Très, très longtemps.

KNOCK : Vous en aviez parlé au docteur Parpalaid ?

LA DAME : Oui, plusieurs fois.

KNOCK : Que vous a-t-il dit ?

LA DAME : De lire chaque soir trois pages du Code civil. C'était une plaisanterie. Le docteur n'a jamais pris la chose au sérieux.

KNOCK : Peut-être a-t-il eu tort. Car il y a des cas d'insomnie dont la signification est d'une exceptionnelle gravité.

LA DAME : Vraiment ?

KNOCK : L'insomnie peut être due à un trouble essentiel de la circulation intracérébrale, particulièrement à une altération des vaisseaux dite « en tuyau de pipe ». Vous avez peut-être, madame, les artères du cerveau en tuyau de pipe.

LA DAME : Ciel ! En tuyau de pipe ! L'usage du tabac, docteur, y serait-il pour quelque chose ? Je prise un peu.

KNOCK : C'est un point qu'il faudrait examiner. L'insomnie peut encore provenir d'une attaque profonde et continue de la substance grise par la névroglie [1].

LA DAME : Ce doit être affreux. Expliquez-moi cela, docteur.

KNOCK, *très posément :* Représentez-vous un crabe, ou un poulpe, ou une gigantesque araignée en train de vous grignoter, de vous suçoter et de vous déchiqueter doucement la cervelle.

LA DAME : Oh ! (*Elle s'effondre dans un fauteuil.*) Il y a de quoi s'évanouir d'horreur. Voilà certainement ce que je dois avoir. Je le sens bien. Je vous en prie, docteur, tuez-moi tout de suite. Une piqûre, une piqûre ! Ou plutôt ne m'abandonnez pas. Je me sens glisser au dernier degré de l'épouvante. (*Un silence.*) Ce doit être absolument incurable ? et mortel ?

KNOCK : Non.

LA DAME : Il y a un espoir de guérison ?

KNOCK : Oui, à la longue.

LA DAME : Ne me trompez pas, docteur. Je veux savoir la vérité.

KNOCK : Tout dépend de la régularité et de la durée du traitement.

LA DAME : Mais de quoi peut-on guérir ? De la chose en tuyau de pipe, ou de l'araignée ? Car je sens bien que, dans mon cas, c'est plutôt l'araignée.

KNOCK : On peut guérir de l'un et de l'autre. Je n'oserais peut-être pas donner cet espoir à un malade ordinaire, qui n'aurait ni le temps ni les moyens de se soigner suivant les méthodes les plus modernes. Avec vous, c'est différent.

LA DAME *se lève :* Oh ! je serai une malade très docile, docteur, soumise comme un petit chien. Je passerai partout où il le faudra, surtout si ce n'est pas trop douloureux.

KNOCK : Aucunement douloureux, puisque c'est à la radioactivité[1] que l'on fait appel. La seule difficulté, c'est d'avoir la patience de poursuivre bien sagement la cure pendant deux ou trois années, et aussi d'avoir sous la main un médecin qui s'astreigne à une surveillance incessante du processus de guérison, à un calcul minutieux des doses radioactives — et à des visites presque quotidiennes.

LA DAME : Oh! moi, je ne manquerai pas de patience. Mais c'est vous, docteur, qui n'allez pas vouloir vous occuper de moi autant qu'il faudrait.

KNOCK : Vouloir, vouloir! Je ne demanderai pas mieux. Il s'agit de pouvoir. Vous demeurez loin?

LA DAME : Mais non, à deux pas. La maison qui est en face du poids public[1].

KNOCK : J'essayerai de faire un bond tous les matins jusque chez vous. Sauf le dimanche. Et le lundi à cause de ma consultation.

LA DAME : Mais ce ne sera pas trop d'intervalle, deux jours d'affilée? Je resterai pour ainsi dire sans soins du samedi au mardi?

KNOCK : Je vous laisserai des instructions détaillées. Et puis, quand je trouverai une minute, je passerai le dimanche matin ou le lundi après-midi.

LA DAME : Ah! tant mieux! tant mieux! (*Elle se relève.*) Et qu'est-ce qu'il faut que je fasse tout de suite?

KNOCK : Rentrez chez vous. Gardez la chambre. J'irai vous voir demain matin et je vous examinerai plus à fond.

LA DAME : Je n'ai pas de médicaments à prendre aujourd'hui?

KNOCK, *debout :* Heu... si. (*Il bâcle une ordonnance.*) Passez chez M. Mousquet et priez-le d'exécuter aussitôt cette première petite ordonnance.

SCÈNE VI

KNOCK, LES DEUX GARS DE VILLAGE

KNOCK, *à la cantonade :* Mais, Mariette, qu'est-ce que c'est que tout ce monde? (*Il regarde sa montre.*) Vous avez bien annoncé que la consultation gratuite cessait à onze heures et demie?

LA VOIX DE MARIETTE : Je l'ai dit. Mais ils veulent rester.

KNOCK : Quelle est la première personne? (*Deux gars s'avancent. Ils se retiennent de rire, se poussent le coude, clignent de l'œil, pouffent soudain. Derrière eux, la foule s'amuse de leur manège et devient assez bruyante. Il feint de ne rien remarquer.*) Lequel de vous deux?

LE PREMIER GARS (*Regard de côté, dissimulation de rire et légère crainte*) *:* Hi! hi! hi! Tous les deux. Hi! hi! hi!

KNOCK : Vous n'allez pas passer ensemble?

LE PREMIER : Si! si! hi! hi! Si! si! (*Rires à la cantonade.*)

KNOCK : Je ne puis pas vous recevoir tous les deux à la fois. Choisissez. D'abord, il me semble que je ne vous ai pas vus tantôt. Il y a des gens avant vous.

LE PREMIER : Ils nous ont cédé leur tour. Demandez-leur. Hi! hi! (*Rires et gloussements.*)

LE SECOND, *enhardi :* Nous deux, on va toujours ensemble. On fait la paire. Hi! hi! hi! (*Rires à la cantonade.*)

KNOCK (*Il se mord la lèvre et du ton le plus froid*) : Entrez. (*Il referme la porte. Au premier gars.*) Déshabillez-vous. (*Au second, lui désignant une chaise.*) Vous, asseyez-vous là. (*Ils échangent encore des signes, et gloussent, mais en se forçant un peu.*)

LE PREMIER (*il n'a plus que son pantalon et sa chemise*) : Faut-il que je me mette tout nu?

KNOCK : Enlevez encore votre chemise. (*Le gars apparaît en gilet de flanelle.*) Ça suffit. (*Knock s'approche, tourne autour de l'homme, palpe, percute, ausculte, tire sur la peau, retourne les paupières, retrousse les lèvres. Puis il va prendre un laryngoscope à réflecteur, s'en casque lentement, en projette soudain la lueur aveuglante sur le visage du gars, au fond de son arrière-gorge, sur ses yeux. Quand l'autre est maté, il lui désigne la chaise longue.*) Étendez-vous là-dessus. Allons. Ramenez les genoux. (*Il palpe le ventre, applique çà et là le stéthoscope.*) Allongez le bras. (*Il examine le pouls. Il prend la pression artérielle.*) Bien. Rhabillez-vous. (*Silence. L'homme se rhabille.*) Vous avez encore votre père?

LE PREMIER : Non, il est mort.

KNOCK : De mort subite?

LE PREMIER : Oui.

KNOCK : C'est ça. Il ne devait pas être vieux?

LE PREMIER : Non, quarante-neuf ans.

KNOCK : Si vieux que ça! (*Long silence. Les deux gars n'ont pas la moindre envie de rire. Puis Knock va fouiller dans un coin de la pièce contre un meuble, et rapporte de grands cartons illustrés qui représentent les principaux organes chez l'alcoolique avancé, et chez l'homme normal. Au premier gars, avec courtoisie.*) Je vais vous montrer dans quel état sont vos principaux organes. Voilà les reins d'un homme ordinaire. Voici les vôtres. (*Avec des pauses*) Voici votre foie. Voici votre cœur. Mais chez vous, le cœur est déjà plus abîmé qu'on ne l'a représenté là dessus.

Puis Knock va tranquillement remettre les tableaux à leur place.

LE PREMIER, *très timidement* Il faudrait peut être que je cesse de boire?

KNOCK : Vous ferez comme vous voudrez.

Un silence.

LE PREMIER : Est ce qu'il y a des remèdes à prendre?

KNOCK. Ce n'est guère la peine (*Au second*) À vous, maintenant.

LE PREMIER : Si vous voulez, monsieur le docteur, je reviendrai à une consultation payante?

KNOCK : C'est tout à fait inutile.

LE SECOND, *très piteux* : Je n'ai rien, moi, monsieur le docteur.

KNOCK : Qu'est-ce que vous en savez?

LE SECOND, *il recule en tremblant :* Je me porte bien, monsieur le docteur.

KNOCK : Alors pourquoi êtes-vous venu?

LE SECOND, *même jeu* · Pour accompagner mon camarade.

KNOCK : Il n'était pas assez grand pour venir tout seul? Allons! déshabillez-vous.

LE SECOND, *il va vers la porte :* Non, non, monsieur le docteur, pas aujourd'hui. Je reviendrai, monsieur le docteur.

Silence. Knock ouvre la porte. On entend le brouhaha des gens qui rient d'avance. Knock laisse passer les deux gars qui sortent avec des mines diversement hagardes et terrifiées, et traversent la foule soudain silencieuse comme un enterrement[1].

RIDEAU

ACTE III

La grande salle de l'hôtel de la Clef. On y doit sentir l'hôtel de chef-lieu de canton en train de tourner au Médical-Hôtel. Les calendriers de liquoristes y subsistent. Mais les nickels, les ripolins et linges blancs de l'asepsie moderne y apparaissent.

SCÈNE I

MADAME RÉMY, SCIPION

MADAME RÉMY : Scipion, la voiture est arrivée ?

SCIPION : Oui, madame.

MADAME RÉMY : On disait que la route était coupée par la neige.

SCIPION : Peuh ! Quinze minutes de retard.

MADAME RÉMY : À qui sont ces bagages ?

SCIPION : À une dame de Livron, qui vient consulter.

MADAME RÉMY : Mais nous ne l'attendions que pour ce soir.

SCIPION : Erreur. La dame de ce soir vient de Saint-Marcellin.

MADAME RÉMY : Et cette valise ?

SCIPION : À Ravachol.

MADAME RÉMY : Comment ! M. Parpalaid est ici ?

SCIPION : À cinquante mètres derrière moi.

MADAME RÉMY : Qu'est-ce qu'il vient faire ? Pas reprendre sa place, bien sûr ?

SCIPION : Consulter, probable.

MADAME RÉMY : Mais il n'y a que le 9 et le 14 de disponibles. Je garde le 9 pour la dame de Saint-Marcellin. Je mets la dame de Livron au 14. Pourquoi n'avez-vous pas dit à Ravachol qu'il ne restait rien ?

SCIPION : Il restait le 14. Je n'avais pas d'instructions pour choisir entre la dame de Livron et Ravachol.

MADAME RÉMY : Je suis très ennuyée.

SCIPION : Vous tâcherez de vous débrouiller. Moi, il faut que je m'occupe de mes malades.

MADAME RÉMY : Pas du tout, Scipion. Attendez M. Parpalaid et expliquez-lui qu'il n'y a plus de chambres. Je ne puis pas lui dire ça moi-même.

SCIPION : Désolé, patronne. J'ai juste le temps de passer ma blouse. Le docteur Knock sera là dans quelques instants. J'ai à recueillir les urines du 5 et du 8, les crachats du 2, la température du 1, du 3, du 4, du 12, du 17, du 18, et le reste. Je n'ai pas envie de me faire engueuler !

MADAME RÉMY : Vous ne montez même pas les bagages de cette dame ?

SCIPION : Et la bonne ? Elle enfile des perles ?

Scipion quitte la scène. Madame Rémy, en voyant apparaître Parpalaid, fait de même.

SCÈNE II

PARPALAID *seul, puis* LA BONNE

LE DOCTEUR PARPALAID : Hum!... Il n'y a personne?... Madame Rémy!... Scipion!... C'est curieux... Voilà toujours ma valise. Scipion!...

LA BONNE, *en tenue d'infirmière :* Monsieur? Vous demandez?

LE DOCTEUR : Je voudrais bien voir la patronne.

LA BONNE : Pourquoi, monsieur?

LE DOCTEUR : Pour qu'elle m'indique ma chambre.

LA BONNE : Je ne sais pas, moi. Vous êtes un des malades annoncés?

LE DOCTEUR : Je ne suis pas un malade, mademoiselle, je suis un médecin.

LA BONNE : Ah! vous venez assister le docteur? Le fait est qu'il en aurait besoin.

LE DOCTEUR : Mais, mademoiselle, vous ne me connaissez pas?

LA BONNE : Non, pas du tout.

LE DOCTEUR : Le docteur Parpalaid... Il y a trois mois encore, j'étais médecin de Saint-Maurice... Sans doute, n'êtes-vous pas du pays?

LA BONNE : Si, si. Mais je ne savais pas qu'il y avait eu un médecin ici avant le docteur Knock. (*Silence.*) Vous m'excuserez, monsieur. La patronne va sûrement venir. Il faut que je termine la stérilisation de mes taies d'oreiller.

LE DOCTEUR : Cet hôtel a pris une physionomie singulière.

SCÈNE III

PARPALAID, *puis* MADAME RÉMY

MADAME RÉMY, *glissant un œil :* Il est encore là ! (*Elle se décide.*) Bonjour, monsieur Parpalaid. Vous ne venez pas pour loger, au moins ?

LE DOCTEUR : Mais si... Comment allez-vous, madame Rémy ?

MADAME RÉMY : Nous voilà bien ! Je n'ai plus de chambres.

LE DOCTEUR : C'est donc jour de foire, aujourd'hui ?

MADAME RÉMY : Non, jour ordinaire.

LE DOCTEUR : Et toutes vos chambres sont occupées, un jour ordinaire ? Qu'est-ce que c'est que tout ce monde-là ?

MADAME RÉMY : Des malades.

LE DOCTEUR : Des malades ?

MADAME RÉMY : Oui, des gens qui suivent un traitement.

LE DOCTEUR : Et pourquoi logent-ils chez vous ?

MADAME RÉMY : Parce qu'il n'y a pas d'autre hôtel à Saint-Maurice. D'ailleurs, ils ne sont pas si à plaindre que cela, chez nous, en attendant notre nouvelle installation. Ils reçoivent tous les soins sur place. Et toutes les règles de l'hygiène moderne sont observées.

LE DOCTEUR : Mais d'où sortent-ils ?

MADAME RÉMY : Les malades ? Depuis quelque temps, il en vient d'un peu partout. Au début, c'était des gens de passage.

LE DOCTEUR : Je ne comprends pas.

MADAME RÉMY : Oui, des voyageurs qui se trouvaient à Saint-Maurice pour leurs affaires. Ils entendaient parler du docteur Knock, dans le pays, et à tout hasard ils allaient le consulter. Évidemment, sans bien se rendre compte de leur état, ils avaient le pressentiment de quelque chose. Mais si leur bonne chance ne les avait pas conduits à Saint-Maurice, plus d'un serait mort à l'heure qu'il est.

LE DOCTEUR : Et pourquoi seraient-ils morts ?

MADAME RÉMY : Comme ils ne se doutaient de rien, ils auraient continué à boire, à manger, à faire cent autres imprudences.

LE DOCTEUR : Et tous ces gens-là sont restés ici ?

MADAME RÉMY : Oui, en revenant de chez le docteur Knock, ils se dépêchaient de se mettre au lit, et ils commençaient à suivre le traitement. Aujourd'hui, ce n'est déjà plus pareil. Les personnes que nous recevons ont entrepris le voyage exprès. L'ennui, c'est que nous manquons de place. Nous allons faire construire.

LE DOCTEUR : C'est extraordinaire.

MADAME RÉMY, *après réflexion :* En effet, cela doit vous sembler extraordinaire à vous. S'il fallait que vous meniez la vie du docteur Knock, je crois que vous crieriez grâce.

LE DOCTEUR : Hé ! quelle vie mène-t-il donc ?

MADAME RÉMY : Une vie de forçat. Dès qu'il est levé, c'est pour courir à ses visites. À dix heures, il passe à l'hôtel. Vous le verrez dans cinq minutes. Puis les consultations chez lui. Et les visites, de nouveau, jusqu'au bout du canton. Je sais bien qu'il a son automobile, une belle voiture neuve qu'il conduit à fond de train. Mais je suis sûre qu'il lui arrive plus d'une fois de déjeuner d'un sandwich.

LE DOCTEUR : C'est exactement mon cas à Lyon.

MADAME RÉMY : Ah ?... Ici pourtant, vous aviez su vous faire une petite vie tranquille. (*Gaillarde.*) Vous vous rappelez vos parties de billard dans l'estaminet ?

LE DOCTEUR : Il faut croire que de mon temps les gens se portaient mieux.

MADAME RÉMY : Ne dites pas cela, monsieur Parpalaid. Les gens n'avaient pas l'idée de se soigner, c'est tout différent. Il y en a qui s'imaginent que dans nos campagnes nous sommes encore des sauvages, que nous n'avons aucun souci de notre personne, que nous attendons que notre heure soit venue de crever comme les animaux, et que les remèdes, les régimes, les appareils et tous les progrès, c'est pour les grandes villes. Erreur, monsieur Parpalaid. Nous nous apprécions autant que quiconque ; et bien qu'on n'aime pas à gaspiller son argent, on n'hésite pas à se payer le nécessaire. Vous, monsieur Parpalaid, vous en êtes au paysan d'autrefois, qui coupait les sous en quatre, et qui aurait mieux aimé perdre un œil et une jambe que d'acheter trois francs de médicaments. Les choses ont changé, Dieu merci.

LE DOCTEUR : Enfin, si les gens en ont assez d'être bien portants, et s'ils veulent s'offrir le luxe d'être malades, ils auraient tort de se gêner. C'est d'ailleurs tout bénéfice pour le médecin.

MADAME RÉMY, *très animée :* En tout cas personne ne vous laissera dire que le docteur Knock est intéressé C'est lui qui a créé les consultations gratuites, que nous n'avions jamais connues ici Pour les visites, il fait payer les personnes qui en ont les moyens — avouez qu'autrement ce serait malheureux ! — mais il n'accepte rien des indigents On le voit traverser tout le canton, dépenser dix francs d'essence et s'arrêter avec sa belle voiture devant la cahute d'une pauvre vieille qui n'a même pas un fromage de chèvre à lui donner Et il ne faut pas insinuer non plus qu'il découvre des maladies aux gens qui n'en ont pas. Moi, la première, je me suis peut être fait examiner dix fois depuis qu'il vient quotidiennement à l'hôtel. Chaque fois il s'y est prêté avec la même patience, m'auscultant des pieds à la tête, avec tous ses instruments, et y perdant un bon quart d'heure. Il m'a toujours dit que je n'avais rien, que je ne devais pas me tourmenter, que je n'avais qu'à bien manger et à bien boire. Et pas question de lui faire accepter un centime La même chose pour M. Bernard, l'instituteur, qui s'était mis dans la tête qu'il était porteur de germes et qui n'en vivait plus. Pour le rassurer, le docteur Knock a été jusqu'à lui analyser trois fois ses excréments. D'ailleurs voici M. Mousquet qui vient faire une prise de sang au 15 avec le docteur. Vous pourrez causer ensemble. (*Après un temps de réflexion.*) Et puis, donnez-moi tout de même votre valise Je vais essayer de vous trouver un coin.

SCÈNE IV

PARPALAID, MOUSQUET

MOUSQUET, *dont la tenue est devenue fashionable*[1] : Le docteur n'est pas encore là ? Ah ? le docteur Parpalaid ! Un revenant, ma foi. Il y a si longtemps que vous nous avez quittés.

LE DOCTEUR : Si longtemps ? Mais non, trois mois.

MOUSQUET : C'est vrai ! Trois mois ! Cela me semble prodigieux. (*Protecteur.*) Et vous êtes content à Lyon ?

LE DOCTEUR : Très content.

MOUSQUET : Ah ! tant mieux, tant mieux. Vous aviez peut-être là-bas une clientèle toute faite ?

LE DOCTEUR : Heu... Je l'ai déjà accrue d'un tiers. La santé de madame Mousquet est bonne ?

MOUSQUET : Bien meilleure.

LE DOCTEUR : Aurait-elle été souffrante ?

MOUSQUET : Vous ne vous rappelez pas, ces migraines dont elle se plaignait souvent ? D'ailleurs vous n'y aviez pas attaché d'importance. Le docteur Knock a diagnostiqué aussitôt une insuffisance des sécrétions ovariennes, et prescrit un traitement opothérapique[2] qui a fait merveille.

LE DOCTEUR : Ah ! Elle ne souffre plus ?

MOUSQUET : De ses anciennes migraines, plus du tout. Les lourdeurs de tête qu'il lui arrive encore d'éprouver proviennent uniquement du surmenage et n'ont rien que de naturel. Car nous sommes terriblement surmenés. Je vais prendre un élève. Vous n'avez personne de sérieux à me recommander ?

LE DOCTEUR : Non, mais j'y penserai.

MOUSQUET : Ah ! ce n'est plus la petite existence calme d'autrefois. Si je vous disais que, même en me couchant à onze heures et demie du soir, je n'ai pas toujours terminé l'exécution de mes ordonnances ?

LE DOCTEUR : Bref, le Pérou.

MOUSQUET : Oh ! il est certain que j'ai quintuplé mon chiffre d'affaires, et je suis loin de le déplorer. Mais il y a d'autres satisfactions que celle-là. Moi, mon cher docteur Parpalaid, j'aime mon métier, et j'aime à me sentir utile. Je trouve plus de plaisir à tirer le collier qu'à ronger mon frein. Simple question de tempérament. Mais voici le docteur.

SCÈNE V

LES MÊMES, KNOCK

KNOCK : Messieurs. Bonjour, docteur Parpalaid. Je pensais à vous. Vous avez fait bon voyage ?

LE DOCTEUR : Excellent.

KNOCK : Vous êtes venu avec votre auto ?

LE DOCTEUR : Non. Par le train.

KNOCK : Ah bon ! Il s'agit de l'échéance, n'est-ce pas ?

LE DOCTEUR : C'est-à-dire que je profiterai de l'occasion...

MOUSQUET : Je vous laisse, messieurs. (*À Knock.*) Je monte au 15.

SCÈNE VI

LES MÊMES, *moins* MOUSQUET

LE DOCTEUR : Vous ne m'accusez plus maintenant de vous avoir « roulé » ?

KNOCK : L'intention y était bien, mon cher confrère.

LE DOCTEUR : Vous ne nierez pas que je vous ai cédé le poste, et le poste valait quelque chose.

KNOCK : Oh ! vous auriez pu rester. Nous nous serions à peine gênés l'un l'autre. M. Mousquet vous a parlé de nos premiers résultats ?

LE DOCTEUR : On m'en a parlé.

KNOCK, *fouillant dans son portefeuille :* À titre tout à fait confidentiel, je puis vous communiquer quelques-uns de mes graphiques. Vous les rattacherez sans peine à notre conversation d'il y a trois mois. Les consultations d'abord. Cette courbe exprime les chiffres hebdomadaires. Nous partons de votre chiffre à vous, que j'ignorais, mais que j'ai fixé approximativement à 5.

LE DOCTEUR : Cinq consultations par semaine ? Dites le double hardiment, mon cher confrère.

KNOCK : Soit. Voici mes chiffres à moi. Bien entendu, je ne compte pas les consultations gratuites du lundi. Mi-octobre, 37. Fin octobre : 90. Fin novembre : 128. Fin décembre : je n'ai pas encore fait le relevé, mais nous dépassons 150. D'ailleurs, faute de temps, je dois désormais sacrifier la courbe des consultations à celle des traitements. Par elle-même la consultation ne m'intéresse qu'à demi : c'est un art un peu rudimentaire, une sorte de pêche au filet. Mais le traitement, c'est de la pisciculture.

LE DOCTEUR : Pardonnez-moi, mon cher confrère : vos chiffres sont rigoureusement exacts ?

KNOCK : Rigoureusement.

LE DOCTEUR : En une semaine, il a pu se trouver, dans le canton de Saint-Maurice, cent cinquante personnes qui se soient dérangées de chez elles pour venir faire queue, en payant, à la porte du médecin ? On ne les y a pas amenées de force, ni par une contrainte quelconque ?

KNOCK : Il n'y a fallu ni les gendarmes, ni la troupe.

LE DOCTEUR : C'est inexplicable.

KNOCK : Passons à la courbe des traitements. Début octobre, c'est la situation que vous me laissiez ; malades en traitement régulier à domicile : 0, n'est-ce pas ? (*Parpalaid esquisse une protestation molle.*) Fin octobre : 32. Fin novembre : 121. Fin décembre... notre chiffre se tiendra entre 245 et 250.

LE DOCTEUR : J'ai l'impression que vous abusez de ma crédulité.

KNOCK : Moi, je ne trouve pas cela énorme. N'oubliez pas que le canton comprend 2 853 foyers, et là-dessus 1 502 revenus réels qui dépassent 12 000 francs.

LE DOCTEUR : Quelle est cette histoire de revenus ?

KNOCK, *il se dirige vers le lavabo :* Vous ne pouvez tout de même pas imposer la charge d'un malade en permanence à une famille dont le revenu n'atteint pas douze mille francs. Ce serait abusif. Et pour les autres non plus, l'on ne saurait prévoir un régime uniforme. J'ai quatre échelons de traitements. Le plus modeste, pour les revenus de douze à vingt mille, ne comporte qu'une visite par semaine, et cinquante francs environ de frais pharmaceutiques par mois. Au sommet, le traitement de luxe, pour revenus supérieurs à cinquante mille francs, entraîne un minimum de quatre visites par semaine, et de trois cents francs par mois de frais divers : rayons X, radium, massages électriques, analyses, médicamentation courante, etc.

LE DOCTEUR : Mais comment connaissez-vous les revenus de vos clients ?

KNOCK, *il commence un lavage de mains minutieux :* Pas par les agents du fisc, croyez-le. Et tant mieux pour moi. Alors que je dénombre 1 502 revenus supérieurs à 12 000 francs, le contrôleur de l'impôt en compte 17. Le plus gros revenu de sa liste est de 20 000. Le plus gros de la mienne, de 120 000. Nous ne concordons jamais. Il faut réfléchir que lui travaille pour l'État.

LE DOCTEUR : Vos informations à vous, d'où viennent-elles ?

KNOCK, *souriant :* De bien des sources. C'est un très gros travail. Presque tout mon mois d'octobre y a passé. Et je révise constamment. Regardez ceci : c'est joli, n'est-ce pas ?

LE DOCTEUR : On dirait une carte du canton. Mais que signifient tous ces points rouges ?

KNOCK : C'est la carte de la pénétration médicale. Chaque point rouge indique l'emplacement d'un malade régulier. Il y a un mois vous auriez vu ici une énorme tache grise : la tache de Chabrières.

LE DOCTEUR : Plaît-il ?

KNOCK : Oui, du nom du hameau qui en formait le centre. Mon effort des dernières semaines a porté principalement là-dessus. Aujourd'hui, la tache n'a pas disparu, mais elle est morcelée. N'est-ce pas ? On la remarque à peine.

Silence.

LE DOCTEUR : Même si je voulais vous cacher mon ahurissement, mon cher confrère, je n'y parviendrais pas. Je ne puis guère douter de vos résultats : ils me sont confirmés de plusieurs côtés. Vous êtes un homme étonnant. D'autres que moi se retiendraient peut-être de vous le dire : ils le penseraient. Ou alors, ils ne seraient pas des médecins. Mais me permettez-vous de me poser une question tout haut ?

KNOCK : Je vous en prie.

LE DOCTEUR : Si je possédais votre méthode, si je l'avais bien en mains comme vous... s'il ne me restait qu'à la pratiquer...

KNOCK : Oui.

LE DOCTEUR : Est-ce que je n'éprouverais pas un scrupule ? (*Silence.*) Répondez-moi.

KNOCK : Mais c'est à vous de répondre, il me semble.

LE DOCTEUR : Remarquez que je ne tranche rien. Je soulève un point excessivement délicat.

Silence.

KNOCK : Je voudrais vous comprendre mieux.

LE DOCTEUR : Vous allez dire que je donne dans le rigorisme, que je coupe les cheveux en quatre. Mais, est-ce que, dans votre méthode, l'intérêt du malade n'est pas un peu subordonné à l'intérêt du médecin ?

KNOCK : Docteur Parpalaid, vous oubliez qu'il y a un intérêt supérieur à ces deux-là.

LE DOCTEUR : Lequel ?

KNOCK : Celui de la médecine. C'est le seul dont je me préoccupe.

Silence. Parpalaid médite.

LE DOCTEUR : Oui, oui, oui.

À partir de ce moment et jusqu'à la fin de la pièce, l'éclairage de la scène prend peu à peu les caractères de la Lumière Médicale qui, comme on le sait, est plus riche en rayons verts et violets que la simple Lumière Terrestre.

KNOCK : Vous me donnez un canton peuplé de quelques milliers d'individus neutres, indéterminés. Mon rôle, c'est de les déterminer, de les amener à l'existence médicale. Je les mets au lit, et je regarde ce qui va pouvoir en sortir : un tuberculeux, un névropathe, un artério-scléreux, ce qu'on voudra, mais quelqu'un, bon Dieu ! quelqu'un ! Rien ne m'agace comme cet être ni chair ni poisson que vous appelez un homme bien portant.

LE DOCTEUR : Vous ne pouvez cependant pas mettre tout un canton au lit !

KNOCK, *tandis qu'il s'essuie les mains :* Cela se discuterait. Car j'ai connu, moi, cinq personnes de la même famille, malades toutes à la fois, au lit toutes à la fois, et qui se débrouillaient fort bien. Votre objection me fait penser à ces fameux économistes qui prétendaient qu'une grande guerre moderne ne pourrait pas durer plus de six semaines. La vérité, c'est que nous manquons tous d'audace, que personne, pas même moi, n'osera aller jusqu'au bout et mettre toute une population au lit, pour voir, pour voir ! Mais soit ! je vous accorderai qu'il faut des gens bien portants, ne serait-ce que pour soigner les autres, ou former, à l'arrière des malades en activité, une espèce de réserve. Ce que je n'aime pas, c'est que la santé prenne des airs de provocation, car alors vous avouerez que c'est excessif. Nous fermons les yeux sur un certain nombre de cas, nous laissons à un certain nombre de gens leur masque de prospérité. Mais s'ils viennent ensuite se pavaner devant nous et nous faire la nique, je me fâche. C'est arrivé ici pour M. Raffalens.

LE DOCTEUR : Ah ! le colosse ? Celui qui se vante de porter sa belle-mère à bras tendu ?

KNOCK : Oui. Il m'a défié près de trois mois... Mais ça y est.

LE DOCTEUR : Quoi ?

KNOCK : Il est au lit. Ses vantardises commençaient à affaiblir l'esprit médical de la population.

LE DOCTEUR : Il subsiste pourtant une sérieuse difficulté.

KNOCK : Laquelle ?

LE DOCTEUR : Vous ne pensez qu'à la médecine... Mais le reste ? Ne craignez-vous pas qu'en généralisant l'application de vos méthodes, on n'amène un certain ralentissement des autres activités sociales dont plusieurs sont, malgré tout, intéressantes ?

KNOCK : Ça ne me regarde pas. Moi, je fais de la médecine.

LE DOCTEUR : Il est vrai que lorsqu'il construit sa ligne de chemin de fer, l'ingénieur ne se demande pas ce qu'en pense le médecin de campagne.

KNOCK : Parbleu ! (*Il remonte vers le fond de la scène et s'approche d'une fenêtre.*) Regardez un peu ici, docteur Parpalaid. Vous connaissez la vue qu'on a de cette fenêtre. Entre deux parties de billard, jadis, vous n'avez pu manquer d'y prendre garde. Tout là-bas, le mont Aligre marque les bornes du canton. Les villages de Mesclat et de Trébures s'aperçoivent à gauche ; et si, de ce côté, les maisons de Saint-Maurice ne faisaient pas une espèce de renflement, c'est tous les hameaux de la vallée que nous aurions en enfilade. Mais vous n'avez dû saisir là que ces beautés naturelles, dont vous êtes friand. C'est un paysage rude, à peine humain, que vous contempliez. Aujourd'hui, je vous le donne tout imprégné de médecine, animé et parcouru par le feu souterrain de notre art. La première fois que je me suis planté ici, au lendemain de mon arrivée, je n'étais pas trop fier ; je sentais que ma présence ne pesait pas lourd. Ce vaste terroir se passait insolemment de moi et de mes pareils. Mais maintenant, j'ai autant d'aise à me trouver ici qu'à son clavier l'organiste des grandes orgues. Dans deux cent cinquante de ces maisons — il s'en faut que nous les voyions toutes à cause de l'éloignement et des feuillages — il y a deux cent cinquante chambres où quelqu'un confesse la médecine, deux cent cinquante lits où un corps étendu témoigne que la vie a un sens, et grâce à moi un sens médical. La nuit, c'est encore plus beau, car il y a les lumières. Et presque toutes les lumières sont à moi. Les non-malades dorment dans les ténèbres. Ils sont supprimés. Mais les malades ont gardé leur veilleuse ou leur lampe. Tout ce qui reste en marge de la médecine, la nuit m'en débarrasse, m'en dérobe l'agacement et le défi. Le canton fait place à une sorte de firmament dont je suis le créateur continuel. Et je ne vous parle pas des cloches. Songez que, pour tout ce monde, leur premier office est de rappeler mes prescriptions, qu'elles sont la voix de mes ordonnances. Songez que, dans quelques instants, il va sonner dix heures, que pour tous mes malades, dix heures, c'est la deuxième prise de température rectale, et que, dans quelques instants, deux cent cinquante thermomètres vont pénétrer à la fois...

LE DOCTEUR, *lui saisissant le bras avec émotion :* Mon cher confrère, j'ai quelque chose à vous proposer.

KNOCK : Quoi ?

LE DOCTEUR : Un homme comme vous n'est pas à sa place dans un chef-lieu de canton. Il vous faut une grande ville.

KNOCK : Je l'aurai, tôt ou tard.

LE DOCTEUR : Attention ! Vous êtes juste à l'apogée de vos forces. Dans quelques années, elles déclineront déjà. Croyez-en mon expérience.

KNOCK : Alors ?

LE DOCTEUR . Alors, vous ne devriez pas attendre

KNOCK : Vous avez une situation à m'indiquer ?

LE DOCTEUR : La mienne. Je vous la donne. Je ne puis pas mieux vous prouver mon admiration.

KNOCK : Oui... Et vous, qu'est-ce que vous deviendriez ?

LE DOCTEUR : Moi ? Je me contenterais de nouveau de Saint-Maurice.

KNOCK : Oui.

LE DOCTEUR : Et je vais plus loin. Les quelques milliers de francs que vous me devez, je vous en fais cadeau.

KNOCK : Oui... Au fond, vous n'êtes pas si bête qu'on veut bien le dire.

LE DOCTEUR : Comment cela ?

KNOCK : Vous produisez peu, mais vous savez acheter et vendre. Ce sont les qualités du commerçant.

LE DOCTEUR : Je vous assure que...

KNOCK : Vous êtes même, en l'espèce, assez bon psychologue. Vous devinez que je ne tiens plus à l'argent dès l'instant que j'en gagne beaucoup ; et que la pénétration médicale d'un ou deux quartiers de Lyon m'aurait vite fait oublier mes graphiques de Saint-Maurice. Oh ! je n'ai pas l'intention de vieillir ici. Mais de là à me jeter sur la première occasion venue !

SCÈNE VII

LES MÊMES, MOUSQUET

Mousquet traverse discrètement la salle pour gagner la rue. Knock l'arrête.

KNOCK : Approchez-vous, cher ami. Savez-vous ce que me propose le docteur Parpalaid ?... Un échange de postes. J'irais le remplacer à Lyon. Il reviendrait ici.

MOUSQUET : C'est une plaisanterie.

KNOCK : Pas du tout. Une offre très sérieuse.

MOUSQUET : Les bras m'en tombent... Mais, naturellement, vous refusez ?

LE DOCTEUR : Pourquoi le docteur Knock refuserait-il ?

MOUSQUET, *à Parpalaid :* Parce que, quand en échange d'un hammerless [1] de deux mille francs on leur offre un pistolet à air comprimé « euréka », les gens qui ne sont pas fous ont l'habitude de refuser. Vous pourriez aussi proposer au docteur un troc d'automobiles.

LE DOCTEUR : Je vous prie de croire que je possède à Lyon une clientèle de premier ordre. J'ai succédé au docteur Merlu, qui avait une grosse réputation.

MOUSQUET : Oui, mais il y a trois mois de ça. En trois mois, on fait du chemin. Et encore plus à la descente qu'à la montée. (*À Knock.*) D'abord, mon cher docteur, la population de Saint-Maurice n'acceptera jamais.

LE DOCTEUR : Qu'a-t-elle à voir là-dedans ? Nous ne lui demanderons pas son avis.

MOUSQUET : Elle vous le donnera. Je ne vous dis pas qu'elle fera des barricades. Ce n'est pas la mode du pays et nous manquons de pavés. Mais elle pourrait vous remettre sur la route de Lyon. (*Il aperçoit madame Rémy.*) D'ailleurs, vous allez en juger.

Entre madame Rémy, portant des assiettes.

SCÈNE VIII

LES MÊMES, MADAME RÉMY

MOUSQUET : Madame Rémy, apprenez une bonne nouvelle. Le docteur Knock nous quitte, et le docteur Parpalaid revient.

Elle lâche sa pile d'assiettes, mais les rattrape à temps, et les tient appliquées sur sa poitrine, en rosace.

MADAME RÉMY : Ah ! mais non ! Ah ! mais non ! Moi je vous dis que ça ne se fera pas. (*À Knock.*) Ou alors il faudra qu'ils vous enlèvent de nuit en aéroplane, parce que j'avertirai les gens et on ne vous laissera pas partir. On crèvera plutôt les pneus de votre voiture. Quant à vous, monsieur Parpalaid, si c'est pour ça que vous êtes venu, j'ai le regret de vous dire que je ne dispose plus d'une seule chambre, et quoique nous soyons le 4 janvier, vous serez dans l'obligation de coucher dehors.

Elle va mettre ses assiettes sur une table.

LE DOCTEUR, *très ému :* Bien, bien ! L'attitude de ces gens envers un homme qui leur a consacré vingt-cinq ans de sa vie est un scandale. Puisqu'il n'y a plus de place à Saint-Maurice que pour le charlatanisme, je préfère gagner honnêtement mon pain à Lyon — honnêtement, et d'ailleurs largement. Si j'ai songé un instant à reprendre mon ancien poste, c'était, je l'avoue, à cause de la santé de ma femme, qui ne s'habitue pas à l'air de la grande ville. Docteur Knock, nous réglerons nos affaires le plus tôt possible. Je repars ce soir.

KNOCK : Vous ne nous ferez pas cet affront, mon cher confrère. Madame Rémy, dans la surprise d'une nouvelle d'ailleurs inexacte, et dans la crainte où elle était de laisser tomber ses assiettes, n'a pu garder le contrôle de son langage. Ses paroles ont trahi sa pensée. Vous voyez : maintenant que sa vaisselle est en sécurité, madame Rémy a retrouvé sa bienveillance naturelle, et ses yeux n'expriment plus que la gratitude que partage toute la population de Saint-Maurice pour vos vingt-cinq années d'apostolat silencieux.

MADAME RÉMY : Sûrement, M. Parpalaid a toujours été un très brave homme. Et il tenait sa place aussi bien qu'un autre tant que nous pouvions nous passer de médecin. Ce n'était ennuyeux que lorsqu'il y avait épidémie. Car vous ne me direz pas qu'un vrai médecin aurait laissé mourir tout ce monde au temps de la grippe espagnole.

LE DOCTEUR : Un vrai médecin ! Quelles choses il faut s'entendre dire ! Alors, vous croyez, madame Rémy, qu'un « vrai médecin » peut combattre une épidémie mondiale ? À peu près comme le garde champêtre peut combattre un tremblement de terre.

Attendez la prochaine, et vous verrez si le docteur Knock s'en tire mieux que moi.

MADAME RÉMY : Le docteur Knock... écoutez, monsieur Parpalaid. Je ne discuterai pas d'automobile avec vous, parce que je n'y entends rien. Mais je commence à savoir ce que c'est qu'un malade. Eh bien, je puis vous dire que dans une population où tous les gens chétifs sont déjà au lit, on l'attend de pied ferme, votre épidémie mondiale. Ce qu'il y a de terrible, comme l'expliquait l'autre jour encore M. Bernard, à la conférence, c'est un coup de tonnerre dans un ciel bleu.

MOUSQUET : Mon cher docteur, je ne vous conseille pas de soulever ici des controverses de cet ordre. L'esprit pharmaco-médical court les rues. Les notions abondent. Et le premier venu vous tiendra tête.

KNOCK : Ne nous égarons pas dans des querelles d'école. Madame Rémy et le docteur Parpalaid peuvent différer de conceptions, et garder néanmoins les rapports les plus courtois. (*À madame Rémy.*) Vous avez bien une chambre pour le docteur ?

MADAME RÉMY : Je n'en ai pas. Vous savez bien que nous arrivons à peine à loger les malades. Si un malade se présentait, je réussirais peut-être à le caser, en faisant l'impossible, parce que c'est mon devoir.

KNOCK : Mais si je vous disais que le docteur n'est pas en état de repartir dès cette après-midi, et que, médicalement parlant, un repos d'une journée au moins lui est nécessaire ?

MADAME RÉMY : Ah ! ce serait autre chose... Mais... M. Parpalaid n'est pas venu consulter ?

KNOCK : Serait-il venu consulter que la discrétion professionnelle m'empêcherait peut-être de le déclarer publiquement.

LE DOCTEUR : Qu'allez-vous chercher là ? Je repars ce soir et voilà tout.

KNOCK, *le regardant :* Mon cher confrère, je vous parle très sérieusement. Un repos de vingt-quatre heures vous est indispensable. Je déconseille le départ aujourd'hui, et au besoin je m'y oppose.

MADAME RÉMY : Bien, bien, docteur. Je ne savais pas. M. Parpalaid aura un lit, vous pouvez être tranquille. Faudra-t-il prendre sa température ?

KNOCK : Nous recauserons de cela tout à l'heure.

Madame Rémy se retire.

MOUSQUET : Je vous laisse un instant, messieurs. (*À Knock.*) J'ai cassé une aiguille, et je vais en prendre une autre à la pharmacie.

Il sort.

SCÈNE IX

KNOCK, PARPALAID

LE DOCTEUR : Dites donc, c'est une plaisanterie? (*Petit silence.*) Je vous remercie, de toute façon. Ça ne m'amusait pas de recommencer ce soir même huit heures de voyage. (*Petit silence.*) Je n'ai plus vingt ans et je m'en aperçois. (*Silence.*) C'est admirable, comme vous gardez votre sérieux. Tantôt, vous avez eu un air pour me dire ça... (*Il se lève.*) J'avais beau savoir que c'était une plaisanterie et connaître les ficelles du métier... oui, un air et un œil... comme si vous m'aviez scruté jusqu'au fond des organes... Ah! c'est très fort.

KNOCK : Que voulez-vous! Cela se fait un peu malgré moi. Dès que je suis en présence de quelqu'un, je ne puis pas empêcher qu'un diagnostic s'ébauche en moi... même si c'est parfaitement inutile, et hors de propos. (*Confidentiel.*) À ce point que, depuis quelque temps, j'évite de me regarder dans la glace.

LE DOCTEUR : Mais un diagnostic... que voulez-vous dire? un diagnostic de fantaisie, ou bien?...

KNOCK : Comment, de fantaisie? Je vous dis que malgré moi quand je rencontre un visage, mon regard se jette, sans même que j'y pense, sur un tas de petits signes imperceptibles... la peau, la sclérotique, les pupilles, les capillaires, l'allure du souffle, le poil... que sais-je encore, et mon appareil à construire des diagnostics fonctionne tout seul. Il faudra que je me surveille, car cela devient idiot.

LE DOCTEUR : Mais c'est que... permettez .. J'insiste d'une manière un peu ridicule, mais j'ai mes raisons... Quand vous m'avez dit que j'avais besoin d'une journée de repos, était-ce par simple jeu, ou bien ?... Encore une fois, si j'insiste, c'est que cela répond à certaines préoccupations que je puis avoir. Je ne suis pas sans avoir observé sur moi-même telle ou telle chose, depuis quelque temps... et ne fût-ce qu'au point de vue purement théorique, j'aurais été très curieux de savoir si mes propres observations coïncident avec l'espèce de diagnostic involontaire dont vous parlez.

KNOCK : Mon cher confrère, laissons cela pour l'instant. (*Sonnerie de cloches.*) Dix heures sonnent. Il faut que je fasse ma tournée. Nous déjeunerons ensemble, si vous voulez bien me donner cette marque d'amitié. Pour ce qui est de votre état de santé, et des décisions qu'il comporte peut-être, c'est dans mon cabinet, cette après-midi, que nous en parlerons plus à loisir

Knock s'éloigne. Dix heures achèvent de sonner. Parpalaid médite, affaissé sur une chaise. Scipion, la bonne, madame Rémy paraissent, porteurs d'instruments rituels, et défilent, au sein de la Lumière Médicale.

RIDEAU

DOSSIER

CHRONOLOGIE
1885-1972

Pour l'établissement de cette chronologie, ont été utilisés la *Biographie chronologique* de Jules Romains, publiée dans le volume XIV de l'édition « J'ai lu » des *Hommes de bonne volonté,* 1967, et surtout le Catalogue de l'exposition *Jules Romains* à la Bibliothèque Nationale, 1978.

1885. 26 août : naissance de Louis Farigoule à Saint-Julien-Chapteuil (Haute-Loire). Ses parents sont tous deux originaires du Velay. Henri Farigoule, son père, est instituteur à Paris.

1895. Octobre : après avoir été à l'école communale de son père, rue Hermel, Louis entre au petit lycée Condorcet. Il se lie avec Léon Debille (le futur poète Georges Chennevière).

1902. 1er février : première publication, une nouvelle, « Le Chef-d'œuvre », dans *La Revue jeune,* sous le pseudonyme de Jules Romains.

Juillet : Louis, qui a continué ses études au grand lycée Condorcet, est reçu au baccalauréat avec mention très bien.

Octobre-juillet 1904 : en khâgne au lycée Condorcet avec André Cuisenier, son premier exégète, Albert Pauphilet et Paul Étard.

1903. Octobre : il aurait eu, en remontant la rue d'Amsterdam, une « illumination » : l'intuition de l'unanimisme, déterminante pour son œuvre.

1904. *L'Âme des hommes,* plaquette de vers imprimée aux frais de la Société des Poètes français, à la suite d'un prix au concours annuel.

1905. Avril : « Les sentiments unanimes et la poésie », article publié dans *Le Penseur,* où apparaît pour la première fois le terme « unanime ».
Juillet : licence ès lettres. Il est reçu deuxième à l'École Normale Supérieure
Octobre-septembre 1906 : service militaire à Pithiviers.

1906. *Le Bourg régénéré,* « conte de la vie unanime » (Léon Vanier).
Octobre : il entre à l'École Normale et passe deux ans dans la section Sciences.
Il fréquente les membres de l'Abbaye, ce groupe de jeunes écrivains et artistes installés à l'Abbaye de Créteil qui se firent imprimeurs pour assurer leur subsistance : Georges Duhamel, Charles Vildrac, René Arcos, Henri Martin, Albert Gleizes, auxquels se joignirent épisodiquement, pendant les quatorze mois que dura l'aventure, Berthold Mahn, Albert Doyen et quelques autres.

1908. *La Vie unanime,* publiée sur les presses de ses amis de l'Abbaye, le fait connaître du monde littéraire. Il devient ami d'Apollinaire et de Max Jacob.
Juillet : licence ès sciences.

1909. *Premier livre de prières* (Vers et Prose).
Juillet : agrégation de philosophie. Professeur de philosophie au lycée de Brest.

1910. *Deux poèmes* et *Un être en marche,* poème, au Mercure de France.
Manuel de déification (Sansot).
Octobre-juillet 1914 : professeur de philosophie au lycée de Laon. Il garde un pied-à-terre à Paris.

1911. 4 mars : création de *L'Armée dans la ville* à l'Odéon, mise en scène d'Antoine. Publication chez Figuière de *Puissances de Paris,* textes unanimistes sur la ville, et de *Mort de quelqu'un,* roman.

1912. Mariage avec Gabrielle Gaffé, fille d'un professeur de dessin, ami de son père, qu'il connaît depuis 1905.

1913. *Odes et prières* au Mercure de France et *Les Copains* chez Figuière.

1914. *Sur les quais de La Villette,* nouvelles, chez Figuière, réédité en 1923 à la N.R.F. sous le titre *Le Vin blanc de La Villette.*
Août-juillet 1915 : affectation à la 22e section de commis et ouvriers militaires à Paris.

1915. Juillet : hospitalisé, puis en congé de convalescence, il est réformé en décembre.

1916. *Europe,* poème pacifiste, édité à cent exemplaires (N.R.F.). Avril-juillet 1917 : professeur au collège Rollin à Paris.

1917. *Les Quatre Saisons,* poèmes (impr. P. de Biraut).
Octobre-juillet 1919 : nommé professeur au lycée de Nice, Jules Romains restera installé dans le Midi après sa démission de l'enseignement en 1919.

1918. Été : il se passionne pour les problèmes de vision extra-rétinienne et se livre à des expériences sur différents sujets aveugles.

1920. Il publie à la N.R.F. *Donogoo-Tonka, ou les Miracles de la Science,* scénario de film écrit en 1919 à la demande de Blaise Cendrars ; *La Vision extra-rétinienne et le sens paroptique,* sous son véritable nom, Louis Farigoule ; *Le Voyage des amants,* poème.
26 mai : *Cromedeyre-le-Vieil* au Théâtre du Vieux-Colombier, mise en scène de Jacques Copeau.
Été : installation dans une maison achetée à Hyères.

1921. *Amour couleur de Paris,* suivi de plusieurs autres poèmes, à la N.R.F.
Automne-juillet 1923 : directeur, puis professeur à l'École du Vieux-Colombier.

1922. *Lucienne,* roman publié à la N.R.F., premier tome de *Psyché,* manque d'une voix le prix Goncourt.

1923. 13 mars : *M. Le Trouhadec saisi par la débauche,* à la Comédie des Champs-Élysées, première comédie de Jules Romains et première mise en scène de Jouvet. *L'Image,* scénario de film, est tournée par Jacques Feyder ; *Petit traité de versification,* en collaboration avec Georges Chennevière à la N.R.F.
14 décembre : *Knock, ou le Triomphe de la Médecine,* à la Comédie des Champs-Élysées, mis en scène et interprété par Louis Jouvet, suivi d'*Amédée et les Messieurs en rang.*

1924-1935. Publication du Théâtre complet en sept volumes à la N.R.F. (*L'Armée dans la ville* n'est pas rééditée dans cette série.)
6 octobre : *La Scintillante* en lever de rideau de *Knock.*

1925. 31 janvier : *Le Mariage de Le Trouhadec* à la Comédie des Champs-Élysées, mise en scène de Jouvet.

9 octobre : *Démétrios,* à la Comédie des Champs-Élysées, mise en scène de Jouvet. Pièce en un acte jouée avec *Madame Béliard* de Charles Vildrac.
Première version cinématographique de *Knock,* interprété par Fernand Fabre.

1926. 5 octobre : *Le Dictateur,* à la Comédie des Champs-Élysées, mise en scène de Jouvet. La pièce aura plus de succès à l'étranger.
1er décembre : *Jean Le Maufranc* au Théâtre des Arts, mise en scène de Georges Pitoëff.

1927. *La Vérité en bouteilles,* chez Trémois, recueil d'études littéraires et esthétiques, publiées en revue.

1928. *Le Dieu des corps,* deuxième tome de *Psyché,* et *Chants des dix années,* recueil de poèmes, à la N.R.F.
23 novembre : *Volpone,* au Théâtre de l'Atelier, mise en scène de Dullin. La pièce de Ben Jonson, adaptée par Stefan Zweig et Jules Romains, remporte un grand succès.
Vente de la maison d'Hyères et achat d'une propriété en Touraine près de Saint-Avertin, à Grandcour, où il écrira l'essentiel de son œuvre.

1929. 9 février : *Le Déjeuner marocain,* spectacle inaugural du Théâtre Saint-Georges, mise en scène par Jean Albert, en alternance avec des drames, conçus pour concurrencer le Grand Guignol.
Quand le navire..., troisième tome de *Psyché,* à la N.R.F.

1930. 25 octobre : *Donogoo* au Théâtre Pigalle, mise en scène par Jouvet, obtient un énorme succès.
22 novembre : *Musse, ou l'École de l'hypocrisie,* remaniement de *Jean Le Maufranc* au Théâtre de l'Atelier, mise en scène de Dullin.
4 décembre : *Boën, ou la Possession des biens,* mise en scène d'Arquillière, au Théâtre de l'Odéon.

1931. *Problèmes d'aujourd'hui,* recueil d'études politiques et littéraires, chez Kra.

1932-1946. Publication des vingt-sept volumes des *Hommes de bonne volonté,* chez Flammarion.
Mars : *Le 6 octobre* et *Crime de Quinette* (t. I et II des *H.B.V.*).
Automne : *Les Amours enfantines* et *Éros de Paris* (t. III et IV).

Désormais il publie l'essentiel de son œuvre chez Flammarion.

1933. *Problèmes européens, Les Superbes* et *Les Humbles* (t. V et VI des *H.B.V.*) ; deuxième version cinématographique de *Knock,* mis en scène et interprété par Jouvet.

1934. À la suite des événements du 6 février, il décide de fonder un mouvement politique. Publication de la Préface au *Plan du 9 juillet* (Gallimard), du *Couple France-Allemagne,* de *Recherche d'une Église* et *Province* (t. VII et VIII des *H.B.V.).*

1935. 5 octobre : Réponse au *Manifeste pour la défense de l'Occident* d'Henri Massis, publiée dans *L'Œuvre.*
Montée des Périls et *Les Pouvoirs* (t. IX et X des *H.B.V.*).

1936. Juin : *Recours à l'abîme* et *Les Créateurs* (t. XI et XII des *H.B.V.*).
Septembre : à Buenos Aires, après quatre mois aux États-Unis, il est élu président international des P.E.N. Clubs.
18 décembre : Jules Romains, divorcé, épouse Lise Dreyfus, qu'il a rencontrée en novembre 1933, à la suite d'une lettre enthousiaste sur les *H.B.V.* qu'elle lui a adressée.

1937. *L'Homme blanc,* poème ; *Mission à Rome* et *Le Drapeau noir* (t. XIII et XIV des *H.B.V.*).

1938. Printemps : il fait une tournée de conférences en Europe centrale.
24 novembre : « Appel au pays » lancé à la radio en faveur du président Daladier.
Prélude à Verdun et *Verdun* (t. XV et XVI des *H.B.V.*).

1939. *Vorge contre Quinette* et *La Douceur de la vie* (t. XVII et XVIII des *H.B.V.*).

1940. Juillet-novembre 1941 : installation à New York. Publication des *Sept mystères du destin de l'Europe* aux éditions de la Maison Française, qui publieront presque toutes ses œuvres de l'exil.
Adaptation cinématographique de *Volpone,* mise en scène de Maurice Tourneur, interprété par Harry Baur et Jouvet.

1941. *Cette grande lueur à l'Est* et *Le Monde est ton aventure* (t. XIX et XX des *H.B.V.*). *Grâce encore pour la terre !,* pièce en trois actes, qui sera créée par Fernand Ledoux en 1947, en tournée en Amérique du Sud ; *Messages aux Français* (allocutions à la radio).

Novembre-février 1942 : Séjours à Miami, à La Havane, où a lieu une réunion de l'Institut de Coopération intellectuelle, et à La Nouvelle-Orléans.

1942. Février-mai 1946 : Au Mexique. L'écrivain étant invité par le gouvernement mexicain à faire des cours à la Faculté des Lettres, les Romains s'installent à Mexico.
Journées dans la montagne (t. XXI des *H.B.V.*) ; *Salsette découvre l'Amérique.*

1943. *Nomentanus le réfugié,* conte ; *Les Travaux et les joies* (t. XXII des *H.B.V.*).

1944 *Bertrand de Ganges,* conte ; *Naissance de la bande* et *Comparutions* (t. XXIII et XXIV des *H.B.V.*) ; *Retrouver la foi,* recueil d'articles et de conférences politiques.
30 septembre : il termine le vingt-septième volume des *H.B.V : Le 7 octobre.*

1945. *Pierres levées,* poèmes (Mexico, Librairie française).

1946. 4 avril : élection à l'Académie française.
Juillet : retour définitif en France.
Le Tapis magique, Françoise et *Le 7 octobre* (t. XXV, XXVI, XXVII des *H.B.V.*).

1947-1972. Jules Romains reprend sa vie d'écrivain parisien. Il fait à nouveau de nombreuses conférences et voyage à travers le monde.
13 mars : *L'An Mil,* au Théâtre Sarah-Bernhardt, mise en scène de Charles Dullin.

1948. *Choix de poèmes.*

1949. Président du jury du Festival international à Cannes ; *Le Moulin et l'hospice,* roman ; *Fragments de la doctrine secrète du docteur Knock* (éd. Manuel Brucker).

1950. Troisième version cinématographique de *Knock,* avec Jouvet.

1951. Mort de Louis Jouvet. *Violation de frontières,* récits surnaturels.
Novembre : *Donogoo* à la Comédie-Française, mise en scène de Jean Meyer.

1952. *Interviews avec Dieu ; Saints de notre calendrier.*

1953 *M. Le Trouhadec saisi par la débauche* à la Comédie-Française, mise en scène de Jean Meyer.
Juin-février 1971. Collaboration hebdomadaire à *L'Aurore,* sous le titre *Lettre à un ami,* à partir de 1961.

Confidences d'un auteur dramatique (impr. l'École Estienne); *Maisons,* poèmes.
Légalisation du nom de Jules Romains à l'état civil.

1954 *Examen de conscience des Français* (recueil d'études publiées dans *L'Aurore*).

1955 *Passagers de cette planète, où allons-nous?* (articles publiés dans *L'Aurore*).

1956. *Le Fils de Jerphanion,* roman.

1957. *Une femme singulière,* roman.

1958. *Le Besoin de voir clair,* suite d'*Une femme singulière; Situation de la terre; Souvenirs et confidences d'un écrivain* (Arthème Fayard).

1959 *Hommes, médecins, machines; Mémoires de Madame Chauverel,* t. I, suite du *Besoin de voir clair.*

1960. Février : reprise de *Knock* au Théâtre Hébertot, mise en scène de Henri Rollan. Jules Romains fait une chute et subit une double opération.
Mémoires de Madame Chauverel, t. II; *Les Hauts et les bas de la liberté* (reprend *Retrouver la foi* et deux documents d'avant-guerre); *Pour raison garder,* t. I.

1961 *Un grand honnête homme,* roman; d'André Bourin, *Connaissance de Jules Romains discutée par Jules Romains.*

1962. *Portraits d'inconnus.*

1963. *Barbazouk,* comédie écrite en 1945, publiée dans *Les Œuvres libres; Pour raison garder,* t. II; *Napoléon par lui-même,* introduction et commentaires (Librairie Académique Perrin)

1964 *Ai-je fait ce que j'ai voulu?* (Paris-Namur, Wesmael-Charlier); *Lettres à un ami,* 1re série (recueil d'articles de *L'Aurore*). Adaptation cinématographique des *Copains,* mise en scène d'Yves Robert.

1965. *Lettres à un ami,* 2e série.

1966. *Lettre ouverte contre une vaste conspiration* (Albin Michel).

1967. *Pour raison garder,* t. III.

1968. *Marc-Aurèle, ou l'Empereur de bonne volonté.*

1970. *Amitiés et rencontres.*

1972. 14 août : mort de Jules Romains après une longue maladie.

NOTICE

LA RÉDACTION

Jules Romains a souvent évoqué les circonstances de la composition de *Knock,* pièce écrite en quelques semaines durant l'été 1923, dans le seul endroit frais de la petite maison qu'il avait achetée à Hyères en 1920, la cave voûtée peinte en jaune citron. Il n'a en revanche jamais donné de précision sur la genèse immédiate de la pièce, non plus que sur le choix final du nom de son personnage. Olivier Rony, dans sa biographie de l'écrivain (Laffont, 1993), rappelle qu'en mars 1923 Léon Chancerel avait donné au Vieux-Colombier un canevas mettant en œuvre le mécanisme traditionnel utilisé par Molière dans *Monsieur de Pourceaugnac* et dans *Le Malade imaginaire,* exercice, dans l'esprit de la *Commedia dell' arte,* destiné vraisemblablement aux élèves de l'école attachée au théâtre, et joué par Copeau, dans le rôle du médecin. Est-ce ce canevas qui provoqua chez Jules Romains, alors professeur à l'École du Vieux-Colombier, l'idée d'écrire une véritable comédie sur ce thème éternel, comme le suggère Léon Chancerel dans ses notes ? Rien ne permet de l'affirmer.

Grâce au don des papiers de Jules Romains à la Bibliothèque Nationale, par Madame Lise Jules-Romains, le département des Manuscrits possède deux états autographes du texte.

1. Premier jet. 154 ff. 210 × 180 mm.

Ce manuscrit composé d'avant-textes, dont certains sont déjà des passages recopiés d'un état antérieur et d'autres un premier jet, souvent très raturé, offre d'importantes variantes avec la version définitive. Il comprend un plan très succinct de l'acte II (f. 62) et un plan plus détaillé de l'acte III (f. 121). L'acte I et l'acte III sont beaucoup plus développés. Dans l'acte I, au prix de quelques maximes bien frappées, Knock, qui s'appelle d'abord Lamendin, expose largement sa « méthode » et se livre à des confidences amères sur ses années d'étude et sur le milieu médical, bien loin de cet « esprit de la médecine » qu'il est le seul à détenir.

Les entretiens du médecin et de ses deux futurs collaborateurs à l'acte II donnent lieu à de nouvelles suggestions de la part du premier. L'instituteur Bernard se voit appâté par la perspective de la reconnaissance de ses supérieurs (dans le plan de l'acte III, Knock lui annonce les palmes). Quant à Mousquet, il est littéralement contraint à proposer lui aussi des ordonnances à moitié prix pour les « consultations humanitaires ». Enfin il est amusant de noter que tout au long de la scène VI avec les deux cousins — qui deviendront les deux gars — le médecin, sans doute pour accentuer son indifférence à l'égard des deux alcooliques, allume cigarette sur cigarette.

À l'acte III, confronté beaucoup plus longuement à la patronne de l'hôtel et à Mousquet, Parpalaid est parfaitement au fait des méthodes et du succès de son remplaçant avant l'arrivée de celui-ci, ce qui réduit d'autant l'impact de la future scène VI, où la tirade de Knock sur la carte médicale du canton est loin de constituer le point culminant de la pièce. Dans la dernière scène le pharmacien, l'instituteur (dont l'intervention sera supprimée) et la patronne, pris à témoin des propositions de Parpalaid de reprendre son poste, assistent finalement à l'accord conclu entre les deux médecins : une fois terminée son œuvre à Saint-Maurice, Knock cédera sa place à Parpalaid « adepte convaincu » de ses méthodes, qu'il aura eu le temps de familiariser à ces nouvelles pratiques. « Je vous en prie, Messieurs, une poignée de mains », telle était la dernière réplique apaisante de Knock à ses interlocuteurs réconciliés.

En resserrant les dialogues, en coupant des tirades entières, au risque de supprimer quelques belles formules, en atténuant ses propos sur les médecins ou sur les « benêts de bourgeois de petite ville », Romains s'est livré à un véritable travail d'épuration, dont il rendra compte bien des années plus tard dans *Ai-je fait ce que j'ai voulu ?* (p. 82) : « La stylisation y est obtenue non par un compassé quelconque mais par la suppression des bavures, des inutilités, des bafouillages chaque fois que ces scories ne servent pas à la manifestation d'un caractère. » Il a surtout assuré l'équilibre de la pièce en gardant le mystère de son personnage, dont la logique et le lyrisme éclatent à l'acte III de la version définitive, avec, de plus, le coup de théâtre de la scène finale, Parpalaid, non plus « adepte convaincu de la méthode », mais à son tour, comme Raffalens, le colosse évoqué dans la scène VI de l'acte III, vaincu par la méthode.

2. Mise au net.

Acte I-III (milieu de la scène VI). Cahier moleskine noire. I-117 ff. 220 × 180 mm ; Acte III, scène VI (fin)-VIII. Cahier écolier vert. 18 ff. 225 × 175 mm.

Conforme à l'édition originale pour le texte même, ce manuscrit tient compte, dans des notes en général plus succinctes, de la mise en scène de Jouvet, ainsi qu'en témoigne la description du décor de l'acte I, avec le simulacre de déplacement de la voiture.

La présente édition reproduit l'édition originale (éd. de la N.R.F., 1924).

KNOCK DANS LES ANNÉES 1923

Après les sombres pronostics des principaux intéressés, on connaît le triomphe remporté par *Knock* dès le soir de la générale. La réaction réservée de certains médecins, celle de Paul Bourget quittant la salle — Jules Romains apprit par la suite qu'il raccompagnait une amie souffrante — furent effacées par l'accueil chaleureux du public et de la plupart des critiques. André Gide monta sur la scène à la fin de la représentation pour exprimer son enthousiasme. Il y remonta, il est vrai, pour marquer sa désapprobation à la fin de la pièce en un acte qui clôturait le spectacle, *Amédée et les Messieurs en rang.*

Pour répondre à la demande de Jouvet qui trouvait *Knock* trop court, Jules Romains avait écrit en quelques jours ce « mystère » unanimiste, selon le sous-titre, qui n'obtint aucun succès. La rupture de ton entre les deux œuvres déconcerta le public. Placé en début de programme, *Amédée* déconcerta autant et fut retiré quelques jours plus tard. À la reprise de *Knock* en octobre 1924, Romains donna en lever de rideau une comédie en un acte qu'il venait d'écrire, *La Scintillante*, interprétée par Jouvet et Valentine Tessier et qui, cette fois, reçut un accueil très favorable.

Dans son pessimisme, Hébertot avait prévu quelques représentations de *Knock* à Strasbourg à la fin de décembre pour permettre à la pièce de se rôder. Tout en constatant que « les hommes de l'Est » n'avaient peut-être pas pu apprécier toutes les nuances du texte et du jeu « si latin » des acteurs de la Comédie des Champs-Élysées — faut-il rappeler que l'Alsace n'était redevenue française que depuis cinq ans ? — la presse locale applaudit à cette décentralisation, la première d'une aventure qui ne faisait que commencer. Dès la reprise à Paris, en janvier 1924, on joua à bureaux fermés. Au mépris des règlements préfectoraux, Hébertot fit rajouter fauteuils et strapontins supplémentaires.

LA CRITIQUE

La critique fut en général dithyrambique, quasi répétitive dans son concert d'éloges. Citons à ce titre la critique de Jane Catulle-Mendès dans *La Presse,* que les programmes de la pièce ne manquèrent pas de reproduire par la suite :

M. Jules Romains use d'une férocité géniale qui nous arrache des rires presque douloureux. C'est à l'acide qu'il creuse, de façon ineffaçable, les traits de ses personnages. Il nous impose une admiration qui a quelque chose de pantelant, encore qu'à écouter sa pièce nous nous amusions presque toujours follement. Car elle est admirable, cette pièce. Il ne faut pas craindre de dire que, par sa densité, son raffinement félin et implacable, son ampleur qui atteint à une sorte de majesté vorace, déesse bien moderne, elle a tous les signes du chef-d'œuvre.

Sans sombrer dans un tel lyrisme, la grande tradition molièresque, le modernisme classique de la pièce, son style élégant et clair, son « comique puissant et acerbe » (Paul Souday), furent salués autant que l'interprétation de Jouvet. Lucien Descaves, comme Tristan Bernard, notèrent l'originalité d'une pièce sans intrigue sentimentale. Références incontournables des âpres comédies du théâtre naturaliste, que l'implacable ascension de Knock rappelait,

Les Corbeaux de Henry Becque (1882) et *Les Affaires sont les affaires* d'Octave Mirbeau (1903) furent évoqués.

Toutefois les intentions unanimistes que l'écrivain lui-même marquait nettement dans le programme du spectacle furent peu ressenties. Pierre Brisson, très élogieux par ailleurs, souligna ce qu'il considérait comme un désaveu involontaire : « Il est remarquable que le chef de l'école unanimiste excelle à camper des figures et que son théâtre est un théâtre d'individus. Ainsi voit-on ce qu'il advient des belles théories ! »

On mentionna également les récents déboires de Jules Romains avec les médecins : « Si M. Farigoule a eu à se plaindre de leurs sarcasmes, M. Jules Romains le leur rend bien et avec quelle cocasserie d'invention. » (Pierre Veber.)

Quelques fausses notes pourtant dans ce concert de louanges, tel Fernand Gregh qui se faisait l'effet d'un rabat-joie le soir de la générale et déplorait l'abîme entre le deuxième acte « d'une épaisseur de comique par moment effroyable » et le troisième acte « remarquablement écrit et neuf ». « Mais sentez-vous combien ces longues tirades sont moins du théâtre que du livre, moins de la conversation que de l'écriture ? »

Lucien Dubech quant à lui fut carrément hostile à cette « singulière expérience » : « Littéralement, nous avons vu tout ce que pouvait obtenir à la scène un homme fort intelligent qui n'est pas doué pour la scène. »

La critique en 1960, au moment de la reprise au Théâtre Hébertot.

En dehors des inévitables rappels du succès de la pièce en 1923 et de l'interprétation de Jouvet, il semble que les critiques en 1960 aient élevé le débat, et, au-delà du flot de louanges parfois un peu creuses de leurs prédécesseurs, mieux perçu les intentions de l'auteur. Certes quelques scènes accusaient-elles un relief un peu suranné auprès des jeunes générations, mais l'ensemble du spectacle puisait une nouvelle force dans les profondes mutations des trente dernières années. La montée du fascisme et le danger des dictatures, l'emprise grandissante de la publicité, celle déjà sensible de la télévision, les classiques perversions prêtées à la psychanalyse trouvèrent en *Knock* des résonances prophétiques que beaucoup soulignèrent.

Par ailleurs, l'œuvre de Jules Romains désormais mieux connue et accomplie dans sa dernière grande phase, *Les Hommes de bonne volonté,* publiés de 1932 à 1946, l'unanimisme s'imposait sans paraître une froide démonstration d'une doctrine poétique. Mirbeau et Becque avaient été évoqués en 1924, Ionesco le fut en 1960 avec son *Rhinocéros* qui triomphait au même moment à l'Odéon.

Citons à ce titre des extraits de quelques critiques :

« Ce qui fait de *Knock* un coup de maître, outre son mécanisme comique digne de Molière, c'est que la pièce dénonce à leur naissance tous les dangers de toute une époque plus que les travers passagers d'une profession [...] Elle semble plus à propos et mordante en 1960 qu'elle ne pouvait l'être en 1923 [...] Les " réflexes conditionnés " de Saint-Maurice jouent maintenant aux dimensions des empires et des continents. » (Bertrand Poirot-Delpech, *Le Monde,* 7 février 1960.)

« La pièce était classique dès le premier soir [...] Elle l'est encore plus aujourd'hui, bien sûr. Mais on s'aperçoit soudain qu'elle était comme le premier état d'une œuvre d'avant-garde à présent : ces villageois [...] ne sont-ils pas étrangement parents de ces citoyens de la petite ville d'Eugène Ionesco qui, les uns après les autres, gagnés par une mystique grégaire, une idéologie de masses, vont spontanément grossir le proliférant troupeau des rhinocéros unanimistes ? » (Paul Gordeaux, *France-Soir,* 7 février 1960.)

« *Knock* (ou le triomphe... de la publicité) », titrait Gérard Gatinot dans *L'Humanité* (8 février 1960), qui voyait dans le médecin « le premier de ces " public relations " indispensables à chaque entreprise soucieuse de se développer » ; tandis que Georges Lerminier dans *Le Parisien libéré* imaginait « une sorte de psychiatre distingué, qui coucherait sur son divan-confessionnal les plus belles dames du Tout-Saint-Maurice [...] Knock, psychologue, sait comment cristalliser les passions de la foule [...] Hélas ! on voit pire aujourd'hui. »

Restaient, bien sûr, les détracteurs, Cl. Olivier, dans *Les Lettres françaises* (11 février 1960), estimant « le succès de 1923 dû beaucoup moins à la qualité de la pièce qu'à la personnalité de son créateur, Louis Jouvet », ou Pierre Marcabru dans *Arts* (17 février 1960) : « farce funèbre [...], type même du faux chef-d'œuvre fabriqué par un comédien [...], texte complaisant pour technicien des planches »

La critique en 1992, au moment de la reprise au Théâtre de la Porte Saint-Martin.

Attendue depuis des années, la dernière reprise parisienne de *Knock* joue à bureaux fermés. « Pièce mythique », « inconnue célèbre » (Pierre Marcabru, *Le Figaro,* 16 octobre 1992), la comédie de Jules Romains ne bénéficie plus pourtant de l'aura qui entourait celui-ci en 1923 et 1960. Oubliées les références à l'unanimisme, le clin d'œil aux *Copains...,* le passé de *Knock* se solde en quelques évocations : les phrases fétiches, les célèbres scènes de l'acte II (consultations du tambour de ville, de la dame en noir et de la dame en violet) et, toujours, le souvenir de Jouvet. Mais, cette fois, la pièce trouve en Michel Serrault un répondant à la mesure du créateur du rôle-titre, au point que certains journalistes paraissent même ignorer qu'elle a été jouée de nombreuses fois en France depuis la disparition de celui-ci. C'est dire si l'ensemble de la critique se livre plus que jamais au petit jeu des comparaisons entre deux monstres sacrés et si la comédie est jugée à l'aune de sa nouvelle interprétation.

« Serrault brise les scellés » (Michel Cournot, *Le Monde,* 16 octobre 1992) ; « Un Knock pour deux » (Christiane Duparc, *L'Express,* 29 octobre 1992) ; « Michel Serrault : Knock out ? » (Jacques Nerson, *Le Figaro Magazine,* 24 octobre 1992) ; « Knock (Serrault négatif) » (Bernard Thomas, *Le Canard enchaîné,* 28 octobre 1992) : les titres mêmes des articles sont éloquents. La presse salue en général le jeu subtil, nuancé, feutré de Serrault, qui « en prenant le personnage à contrepied [...] lui donne une dimension inquiétante » (Christiane Duparc), distille « à doses homéopathiques, piano, crescendo, l'angoisse d'être piégé par le délire de ses diagnostics » (Caroline Alexander, *La Tribune Desfossés,* 20 octobre 1992) ; « un fou doucereux, [...] troublant, certes, mais tout de même, semble-t-il, trop en retrait de son personnage. Le comédien étant souvent imprévisible, peut-être le verra-t-on, un autre soir, excessivement machiavélique » (Annie Coppermann, *Les Échos,* 19 octobre 1992).

À une époque où certains scandales du milieu médical virent au cauchemar, le « triomphe de la médecine », estimé du coup trop timoré, occulte souvent toute autre dimension de la pièce.

« Le hic de cette comédie est que les visions planétaires du médicastre ont été dépassées par l'emprise dictatoriale de ses émules. Knock etait un pionnier. Sa méthode thérapeutique est belle — mais comme une De Dion-Bouton. » (Bernard Thomas.)

« Loin des personnages complexes et si humains de Molière, Jules Romains avait écrit une comédie très sèche, mettant en scène des protagonistes presque schématiques, tout en nerfs et sans psychologie. [...] Le rôle de l'étrange docteur Knock doit énormément aujourd'hui à la fascinante composition de Michel Serrault. » (Armelle Heliot, *Le Quotidien du médecin,* 21 octobre 1992.)

« Sans doute en est-il de *Knock* comme de certaines passions de jeunesse qu'on ne devrait jamais chercher à revoir », conclut Jacques Nerson, au terme d'un article où il conteste les qualités dramatiques d'une pièce au premier acte « explicatif et long », et au troisième acte « redondant, presque superflu ».

« Une redécouverte », titre en revanche dans *Le Figaro* Pierre Marcabru qui, au fil des reprises, et cette fois grâce à Michel Serrault, a reconnu dans ses critiques successives les qualités de « cette farce philosophique âpre et amère » : « Dans son domaine, et qui n'est point celui de la psychologie, *Knock* reste dans la charge la pièce comique la plus âcre et la plus virulente du répertoire. » Et, dans *Le Point,* 24 octobre 1992 : « il ne s'agit plus du triomphe de la médecine, mais de l'imposture d'un homme qui, voyant en chacun un malade sème la peur autour de lui. [...] Reste une farce virulente et glacée, qui, au-delà d'une certaine médecine, met en question l'univers totalitaire dans lequel nous vivons. »

Après Ionesco, Brecht au secours de Jules Romains, pour Christiane Duparc dans *L'Express.*

« ... Il y a du dictateur dans l'air. Jules Romains, tout en nous faisant rire, crée un inquiétant imposteur moderne qui annonce peut-être Arturo Ui. Comique très sûr, prose précise, incisive, bonheur des formules, grand sens des dialogues, la pièce, malgré ses 70 ans, frappe toujours aussi fort. C'est qu'on vit tous aujourd'hui, avec nos cholestérol, glycémie, hypertension... dans le monde de Knock. »

POUR LA PETITE HISTOIRE

Knock *et les médecins*

Knock éprouva en début de carrière quelques difficultés auprès de la Faculté de Médecine. Après la réaction négative de certains grands pontes le soir de la générale, les journaux relatèrent d'abondance l'incident survenu lors de la première tournée Baret à Vichy en août 1925. À la suite d'une pétition des médecins de la ville d'eaux, la pièce fut frappée d'interdit par la Société fermière du Casino et retirée de l'affiche à la dernière minute. Jouée « clandestinement » dans une salle de cinéma louée à la hâte, *Knock* connut, on s'en doute, le succès décuplé de toute œuvre interdite. Et Georges de La Fouchardière put, dans un spirituel article de *L'Œuvre,* rappeler que Louis XIV n'avait pas osé faire si fort avec *Le Médecin malgré lui* et *Le Malade imaginaire.*

En Autriche, lors des premières représentations à Vienne, une mise en scène pesante aidant, les médecins viennois quittèrent la salle avec fracas en proférant un « Pftt, das ist ein Skandal », resté dans les annales.

Parallèlement et plus durablement, la pièce jouit d'une popularité de bon aloi dans le milieu médical. L'auteur fut souvent invité à s'exprimer devant ce public ouvert. C'est du reste à l'occasion d'un dîner des courriéristes médicaux, le 24 juin 1924, que Jules Romains livra le seul témoignage sur sa rencontre avec Knock :

Je l'ai rencontré sur une route où je venais de recevoir un grain de sable dans l'œil et comme je cherchais à le retirer très maladroitement en relevant ma paupière, c'est alors qu'il passa dans sa somptueuse torpédo, fit halte et reconnut en découvrant le blanc de mon œil que j'étais atteint d'une insuffisance du pancréas [...] Je dus prendre le lit et cette maladie dure toujours. Elle m'est devenue familière, indispensable et chère. Je me demande si, sans elle, la vie vaudrait d'être vécue. (« Une soirée avec le docteur Knock. » Supplément de la Gazette médicale du Centre, *15 juillet 1924.)*

C'est également à l'intention du corps médical qu'il donna, en 1949, une édition à tirage limité, illustrée par Paul Colin, de ses pseudo-entretiens avec l'illustre médecin, devenu chef d'entreprise internationale, les *Fragments de la doctrine secrète du docteur Knock,* dernier clin d'œil à son personnage.

Pourquoi Knock *?*

Jules Romains a toujours gardé le même mutisme tant sur l'origine du nom de son personnage que sur celle de son pseudonyme.

Citons ici deux hypothèses voisines et probables, l'une du critique de *Comœdia* en 1923, l'autre de Jouvet dans sa conférence sur la pièce, aux Annales en mars 1949, reprises dans ses *Témoignages sur le théâtre.*

On a l'impression que ce Knock nous met tous « knock out » (Armory*).*

Knock, toc. To Knock, en anglais, veut dire frapper. Ce n'est pas un titre, c'est un bruit, une onomatopée. C'est, dans l'art de la boxe, le coup décisif, la mise hors de combat.

Le Triomphe de la médecine *n'est qu'un sous-titre pour bibliothèque rose.*

Knock *de* Bécassine *aux* Hommes de bonne volonté.

Indice de la popularité de *Knock* chez les enfants, même sans édition dans la Bibliothèque rose, dès 1925, une scène des aventures de *Bécassine au pays Basque,* de Caumery, évoque une représentation de la pièce, ainsi que les méfaits d'un certain Guéritou, praticien sans scrupules.

Moins impartiale sans doute, la lettre qu'Odette Jerphanion adresse en décembre 1923 à son mari, en campagne électorale dans la Haute-Loire, au lendemain d'une soirée à la Comédie des Champs-Élysées avec son père. Mais quelle meilleure conclusion que cette invitation nostalgique de l'auteur des *Hommes de bonne volonté,* alors en exil à Mexico, au printemps 1942, à la représentation de sa pièce fétiche ?

« L'autre soir, il nous a menés voir Knock, *qui s'annonce comme un succès extraordinaire. Il avait eu toutes les peines du monde à nous procurer une loge mal placée, où l'on avait mis des chaises de supplément et que nous partagions avec d'autres. J'aime beaucoup la pièce, à cause de son mordant, de son comique terrible et pourtant si joyeux pour l'esprit ; à cause du style, qui a la précision et l'éclat d'un moteur d'exposition. Jouvet est merveilleux. Les gens dans les couloirs s'extasiaient, et parlaient beaucoup de Molière. Je vois ce qu'ils veulent dire. Pourtant, il n'y a aucune ressemblance extérieure. Il faudra que nous allions voir la pièce ensemble et que tu me donnes ton avis. »*

Journées dans la montagne, chapitre XIII (éd. *Les Hommes de bonne volonté,* Flammarion, 1958, vol. III, t. XXI, p. 1106).

HISTORIQUE DE LA MISE EN SCÈNE

I. *KNOCK* AU THÉÂTRE.

Création 14 décembre 1923, à la Comédie des Champs-Élysées (direction Jacques Hébertot). Mise en scène et décors de Louis Jouvet, assistante Jeanne Dubouchet. Knock : Louis Jouvet; Parpalaid : Alexandre Héraut; la dame en noir : Iza Reyner; la dame en violet : Magdelaine Bérubet.

Knock reste aujourd'hui encore indissociablement lié au nom de son metteur en scène et acteur principal, Louis Jouvet. Romains et Jouvet ont plusieurs fois eu l'occasion d'évoquer cette collaboration qui fait date dans l'histoire du théâtre. Pourtant, en écrivant *Knock,* dont il perçut immédiatement la puissance scénique, Jules Romains songeait à la Comédie-Française : « Peut-être avais-je l'impression que mon entrée dans cette maison était chose toute naturelle, et que, si j'y entrais avec *Knock,* la chose se ferait honorablement. » (*Amitiés et rencontres,* p. 145.) Il aurait ainsi repris les tractations des années 1917-1918, époque où l'administrateur de la Comédie-Française, Émile Fabre, après lui avoir fait savoir qu'il serait disposé à monter une pièce de lui, refusa *Cromedeyre-le-Vieil.*

Mais il céda finalement aux pressions de Louis Jouvet, dont la première mise en scène avait été, quelques mois plus tôt, son *M. Le Trouhadec saisi par la débauche.* « Il la lut. Et il m'en parla si bien que ma conclusion était presque inévitable. Pouvais-je refuser ma pièce à un homme qui la sentait et la comprenait à ce point? »

C'était le début de la belle aventure que Louis Jouvet a si bien racontée :

Quelques jours après, nous répétions. La pièce fut montée en six semaines. La distribution n'était pas éclatante ; il y avait beaucoup d'acteurs de fortune dans les douze que nous étions : la pièce s'est rattrapée depuis.

Les répétitions étaient aisées ; le travail agréable. Jules Romains est un auteur dont la présence est enseignante, car il a pour son texte l'intransigeance d'un magister à l'école et les réactions d'un spectateur neuf et toujours bienveillant.

À répéter Knock *nous recevions du texte la pulsation physique primaire, mais rigoureuse, que procure un texte dramatique véritable, texte pneumatique, dont le flux pulmonaire établit immédiatement chez celui qui le dit, sans recherche d'explication ou d'exégèse, un état physique catégorique, un état nerveux concomitant et conséquent, qui engendre rythme et mouvement et, sans autre souci du sens et de ses prolongements, fait atteindre l'acteur au ton du personnage. Par son impérieuse puissance, le texte porte et conduit l'acteur.*

Cependant j'étais inquiet.

C'est une des vertus de notre métier de créer chez ceux qui le pratiquent une constante appréhension, appréhension qui passe du respect humain à l'émoi, puis au trouble, et que l'approche des premières représentations fait virer au rouge sombre du trac, ou au blanc incandescent de la panique que donne le rideau au moment où il se lève enfin.

J'étais inquiet, parce que je suis naturellement inquiet bien sûr, et qu'il faut l'être, et qu'on ne saurait rien faire de bien sans cette incertitude menaçante et bienfaisante de savoir si l'on fait au mieux. J'étais inquiet et je trouvais des raisons à mon inquiétude par toutes sortes de causes et de motifs. J'étais inquiet par l'étrangeté de cette pièce dont le comique m'apparaissait s'aggraver parfois, à la fin du second acte par exemple, dans la scène des deux paysans qui s'enfuient terrifiés du cabinet du médecin, ou encore dans la tirade de Knock au troisième acte, qui se termine si curieusement par une évocation soudaine et toute clinique. J'appréhendais la bouffonnerie de certaines scènes, ces dérisions de la peine vraie, de la souffrance vraie, si proches, par l'imagination, de nos défaillances. (Témoignages sur le théâtre, *Flammarion, 1952, p. 102-103.*)

Ces inquiétudes étaient, semble-t-il, ressenties à des degrés divers par les principaux intéressés, Georges Pitoëff, metteur en scène par alternance des pièces du répertoire de la Comédie des Champs-Élysées, s'était déclaré bouleversé à la lecture de *Knock* et confortait Jouvet dans ses angoisses en voyant là une « tragédie poignante ». Quant à Jacques Hébertot, il confiait à Jules Romains n'escompter qu' « un joli succès littéraire. Le public, lui, ne marchera pas. Nous arriverons à quelque chose comme dix-sept représentations ». (*Amitiés et rencontres*, p. 148.)

Le rôle de l'auteur dramatique fut alors décisif. Son expérience du théâtre l'avait toujours incité à participer assidûment aux répétitions, s'intéressant autant au jeu des comédiens qu'à la mise en scène. Pleinement convaincu de l'efficacité de la mise en scène et des décors « d'une simplicité et d'une verve excellentes », l'interprétation de Jouvet acteur lui semblait trop chargée. Lorsqu'il avait, au cours de la rédaction de sa pièce, envisagé Jouvet — parmi d'autres — comme créateur de Knock, c'est la voix de Jouvet *homme* dans la vie de tous les jours à laquelle il avait pensé. Et « tel jeu spontané de sa physionomie s'y ajoutait parfois ». Il sut le persuader, à quelques jours de la générale, de dégager son personnage de toute composition, pour donner libre cours à un naturel que celui-ci avait toujours maîtrisé lors de ses créations précédentes, Le Trouhadec et le père Anselme (de *Cromedeyre-le-Vieil*), le père Karamazov, ou Aguecheek de *La Nuit des rois* de Shakespeare.

Homme de théâtre de génie, Jouvet imposa dès lors un Knock qu'il est difficile d'oublier :

J'ai cherché longtemps le personnage de Knock. — Je travaille sans hâte. — Jules Romains me surveillait à chaque répétition. Il me dit un jour : « Ne cherchez donc pas de composition, jouez cela avec votre tête ». Ce fut le premier rôle que je jouai sans perruque ni maquillage, en m'aidant seulement d'une paire de lunettes.

Évidemment des souvenirs plus ou moins conscients de mes séjours dans les hôpitaux m'ont aidé à dessiner la silhouette de Knock. C'est à un chirurgien, sous les ordres de qui je me suis trouvé, que j'ai emprunté ce lavage de mains méticuleux, interminable et agaçant, durant lequel Knock développe ses méthodes médicales. C'est chez d'autres praticiens que j'ai calqué certains gestes professionnels, mais je n'ai jamais vu de Knock.

Je n'avais pas à animer Knock en le recevant. Il était animé ; il avait sa vie propre. Et je ne crois pas qu'un interprète puisse l'égarer ou le trahir longtemps. Son tempérament exige, sa logique impose, sa pensée conduit. Avant les citoyens du bourg et du canton de Saint-Maurice, Knock saisit le comédien qui le préfigure et lui fait des emprunts qui sont emprunts de vainqueur. Je n'ai jamais contesté ou réclamé ce qu'il m'a pris, ce qui lui plut dans mon personnage. Parfois, — dois-je l'avouer ? — je me suis senti dans une difficulté d'être à cause de lui, — Knock est exigeant — je me suis senti mal existant, ayant perdu mes biens personnels, masque, vestiaire et réflexion. Il n'est pas possible de parvenir à échapper à l'emprise de Knock. (Témoignages sur le théâtre, *p. 111.*)

Knock *s'impose à l'acteur dans sa diction, dans ses gestes, dans ses élans, avec la nécessité impérieuse du trapèze pour le gymnaste. La pièce a l'efficacité d'un miroir un peu froid, un peu dur, mais exempt des déformations de la littérature.*

L'aventure n'est pas une histoire dilatée dans la chaleur de la narration. Tout est cursif, mordant, linéaire. Dans cette réflection sans ombre, il n'y a pas de place pour les fantômes de l'imagination ; tout a la dureté d'une arête de glace, la densité et le translucide d'un cristal de roche. Tout est précision.

Des amis, souvent, m'ont dit : « Pourquoi ne rajeunissez-vous pas votre mise en scène ? Elle est aujourd'hui un peu désuète. Parmi les œuvres de votre répertoire, seule, elle accuse son âge. » J'ai essayé plusieurs fois de satisfaire à cette critique. Je n'y ai pas réussi. Toute innovation altérait la pièce. On ne peut pas dépayser Knock. Il a ses habitudes.

Cette mise en scène qui, il y a vingt-cinq ans, parut « outrancière », « expressionniste », « avant-gardiste » pour certains spectateurs, paraît aujourd'hui attardée. Dans quelque temps, j'en suis sûr, la sécheresse de ces décors, la géométrie sommaire de cette présentation restitueront l'impression qu'elles donnèrent aux premiers jours. Pareil aux principes d'Archimède et d'Euclide, Knock inscrit dans ses décors une démonstration aussi rigoureuse et aussi péremptoire que celles qui illustrent la géométrie et la physique. (Témoignages sur le théâtre, *p. 115.*)

De cette mise en scène de l'hiver 1923 qui marqua durablement les représentations de la troupe de Jouvet, le département des Arts du spectacle de la Bibliothèque Nationale conserve les traces dans les archives théâtrales de Louis Jouvet données par sa famille en 1961.

L'exemplaire de *La Petite Illustration* du 24 janvier 1925 (soit plus d'un an après la générale), annoté par Jouvet et par le régisseur, en confirme la concision et l'épure. Il n'y avait pas besoin de « trouvailles », comme le précisera ailleurs Jouvet. Le déploiement des pliants lors de la conversation au bord de la route, à l'acte I, l'entrée de la dame en noir avec ses paquets, le savonnage des mains du médecin, le coup de chapeau final de Parpalaid, autant d'instantanés qui firent partie intégrante de l'image d'Épinal *Knock*, de même que le décor de l'acte I, dès lors immuable.

Car metteur en scène et acteur, Jouvet fut également le décorateur de la pièce comme il l'avait été de *M. Le Trouhadec saisi par la débauche,* où le décor unique avec ses deux palmiers articulés s'inclinant au gré des sentiments des acteurs, avait été très applaudi. Pour le premier acte, le plus statique, cette longue exposition en une seule scène, dont les comédiens eux-mêmes, à la première lecture, avaient redouté la monotonie, il conçut à nouveau un décor mobile. Le simulacre de déplacement de la voiture, dû en fait au déroulement de la toile de fond, enchanta par son aspect naïf et illusoire. Pour dessiner ce paysage animé de la route de Saint-Maurice, Jouvet s'inspira curieusement d'une vue panoramique de la vallée du Hunho en Mandchourie.

Les costumes, dessinés par Léon Leyritz, furent définitivement adoptés jusqu'en 1949. Parmi les personnages, celui de la dame en noir, interprété par Iza Reyner, qui reprit par deux fois le rôle au cinéma, en 1925 et 1933, prit un relief particulier grâce à l'affiche dessinée par Bécan au lendemain de la générale et reprise sur les prospectus des tournées Baret.

Trente-sept ans plus tard, dans le programme du Théâtre Hébertot, à la reprise de *Knock,* plusieurs des acteurs de la création rappelèrent cette soirée mémorable. Iza Reyner, assoupie dans les coulisses et réveillée en sursaut par la voix cassante de Jouvet, se souvint de sa première prestation : « Je traversai la scène complètement ahurie, donnant le véritable aspect d'une vache énorme sortie de son étable. Un rire général et des applaudissements accompagnèrent cette entrée inattendue (que je gardai par la suite). »

Ainsi naquit ce spectacle légendaire, fruit d'une collaboration étroite entre l'auteur et le metteur en scène-acteur, mais aussi composante des mille et un impondérables qui au fil des représentations étoffèrent des personnages désormais intouchables.

De 1923 à 1949, la troupe de Jouvet donna la pièce 1 298 fois en France et 142 fois en tournées. À Paris, six grandes reprises eurent lieu à la Comédie des Champs-Élysées entre 1924 et 1933 et sept à l'Athénée de 1933 à 1949. Les tournées internationales de théâtre de Jouvet la conduisirent à travers l'Europe, mais également en Amérique latine pendant la guerre, entre 1941 et 1945, et en Égypte en 1948. La dernière tournée eut lieu en 1950 aux Pays-Bas, en France métropolitaine, en Algérie et en Tunisie, au Portugal, en Espagne et en Suisse.

Si Jouvet garda le rôle-titre, les autres personnages furent interprétés par des acteurs qui souvent passèrent d'un rôle à l'autre : Pierre Renoir, tambour de ville en 1930, jouait Mousquet au moment du jubilé à l'Athénée en 1949; Romain Bouquet succéda à Héraut dans le rôle de Parpalaid dès 1927, qu'il joua épisodiquement jusqu'à sa mort durant la tournée en Amérique du Sud.

Michel Etcheverry reprit un temps le rôle du pharmacien en 1946.

Traduite et jouée dans presque tous les pays du monde, il est impossible ici d'évoquer les mises en scène étrangères. La pièce échoua, semble-t-il, dans les pays où « le tragique souterrain qui circulait dans l'œuvre », selon l'expression de Jules Romains dans *Ai-je fait ce que j'ai voulu?*, l'emporta sur le comique spontané de l'ensemble, en Autriche, notamment, lors des premières représentations à Vienne.

En France, les tournées Baret jouèrent *Knock* pendant plusieurs saisons dans les années 1930, avec successivement Janvier et Jean Fleur dans le rôle-titre.

Fondateur en novembre 1936 avec Jean Dasté et Maurice Jacquemont du Théâtre des Quatre Saisons, André Barsacq inscrivit au répertoire de la jeune compagnie, qui se tournait résolument vers le théâtre populaire, *Knock*, joué en alternance avec *Le Médecin malgré lui*, des pièces de Musset, Labiche, Anouilh et Achard, au French Theatre of New-York durant l'hiver 1937-1938. Mise en scène et décors d'André Barsacq; Knock : Moussa Abadi; Parpalaid : Jean Dasté.

1960. Théâtre Hébertot (direction Jacques Hébertot). Mise en scène de Henri Rollan. Décors et costumes de Roger Pellerin Knock : Maurice Teynac; Parpalaid : Marcel Roma; Mme Parpalaid : Nane Germon.

La dix-huitième reprise de *Knock* à Paris célébra les retrouvailles de Jules Romains et de Jacques Hébertot. À la suite d'une malencontreuse chute au théâtre, au tout début des répétitions, l'auteur ne put, comme il en avait coutume, participer à la mise en place du spectacle. Là encore, l'ombre du succès des années 1923 planait sur cette réalisation, ce que reconnaissait bien volontiers Hébertot dans un texte du programme intitulé *Après 39 années...*

Si un comédien autant par délicatesse et par scrupule que par admiration a voulu s'éloigner d'un modèle peut-être par crainte de ne pas l'égaler, mais aussi parce qu'il est nécessaire au théâtre d'affirmer sa personnalité, si un grand metteur en scène a pensé qu'il n'était pas irrespectueux mais au contraire nécessaire et tenant compte d'une interprétation nouvelle, de quelque peu modifier la présentation, nous avons tenu, au contraire, à ne pas changer l'atmosphère de la pièce et à si peu modifier les décors qu'ils semblent être ceux de la création. Nous avons jugé que le cadre qui nous avait toujours paru idéal ne devait pas être modifié. Car Jouvet ne fut pas seulement l'interprète ; il choisit les costumes et composa les décors. [...]

Son succès nous a dépassés. Nous savons bien, désormais, que nous ne sommes plus que les dépositaires provisoires d'une œuvre magistrale à laquelle, une fois encore, un auteur reconnaissant et sensible a bien voulu nous associer.

Henri Rollan de son côté, interviewé par Claude Cézan dans *Les Nouvelles littéraires* du 28 janvier 1960, proclamait sa fidélité au texte :

C'est une pièce où tout est dense et nécessaire. C'est pourquoi il faut donner à tous les mots leur efficacité, leur couleur. Il faut que ce soit aigu. Travail méticuleux d'horlogerie ! Ne rien précipiter. Et surtout aérer. Si l'on a le malheur de supprimer une virgule...

Ce respect de la tradition et la grande figure de Jouvet toujours présente figèrent sans doute d'autant le rôle-titre, Maurice Teynac, qu'ancien chansonnier il avait imité son prédécesseur dans un numéro de Music-hall. En donnant une interprétation très dépouillée, d'un « maniaque raffiné et blasé » (B. Poirot-Delpech, *Le Monde*, 7 février 1960), il ne répondit pas à l'attente du public.

Curieusement, peu auparavant, c'est un autre chansonnier, Pierre-Jean Vaillart, qui avait joué le rôle de Knock dans les tournées Karsenty.

1965. Théâtre Marcelle Tassencourt (Théâtre Montansier, Versailles). Mise en scène de Marcelle Tassencourt. Décors et costumes de Jacques Marillier. Knock : Jean-Marc Tennberg ; Parpalaid : Jean Thouvenin.

Lors des reprises du Théâtre Marcelle Tassencourt, Knock fut interprété par Jacques Ardouin, et par Henri Virlojeux.

Parmi les nombreuses autres représentations en province, citons celle d'Hubert Gignoux en 1953, pour le Centre dramatique de l'Ouest, celle de Cyril Robichez en 1965, à Lille, celle de Jean Mauroy en 1970, à La Rochelle, et celle de Jean Meyer en 1976, pour la tournée des Galas Karsenty, avec Robert Lamoureux dans le rôle-titre.

1992. Théâtre de la Porte Saint-Martin (direction Hélène et Bernard Régnier). Mise en scène de Pierre Mondy, assistante Catherine Allary. Décors de Roberto Plate. Costumes de Jacques Schmidt et Emmanuel Peduzzi. Knock : Michel Serrault; Parpalaid : Jacques Morel; Madame Parpalaid : Arlette Didier; le tambour de ville : Jacques Dynam; la dame en noir : Marie Borowski; la dame en violet : Maaïke Jansen.

Enfin exorcisée « la chasse gardée » Louis Jouvet, la pièce tire une nouvelle dynamique de la performance de Michel Serrault. Les décors de Roberto Plate, celui de l'acte III notamment, la salle d'auberge aux grandes baies ouvertes sur la vallée, les costumes de Jacques Schmidt et Emmanuel Peduzzi, qui ne sacrifient pas à un folklore facile, les éclairages d'Alain Poisson instaurent une ambiance parfaite. Jugée par certains critiques un peu timorée, voire banale ou vieillotte, la sobre mise en scène de Pierre Mondy ne peut guère apporter d'innovations à un spectacle classique. Refusant le parti pris adopté jusque-là dans l'acte I, d'une schématisation voulue d'une voiture en trompe-l'œil, Pierre Mondy a demandé à Luc Laillier la construction d'un authentique tacot pétaradant, qui part en morceaux sous les yeux des spectateurs. L'acte II, le plus long, trouve une heureuse aération, grâce au « noir » qui tombe entre les scènes des futurs associés du médecin et celles des consultants. En déplaçant l'action de l'acte III du matin à la fin d'un après-midi d'hiver, au prix d'infimes modifications du texte de Jules Romains, le metteur en scène donne une vigueur nouvelle à la célèbre tirade du médecin démiurge sur les lumières du canton dans la scène VI : « La nuit c'est encore plus beau... » Pas plus, semble-t-il, que ses prédécesseurs (selon les témoignages recueillis), Pierre Mondy n'a, en revanche, joué de la fameuse « Lumière Médicale », enlevant peut-être une dimension fantastique à la fin de l'acte.

II. *KNOCK* AU CINÉMA.

La pièce de Jules Romains fut portée trois fois à l'écran.

1. 1925. Mise en scène de René Hervil. Knock : Fernand Fabre, la dame en noir : Iza Reyner.

Dès 1924, Jules Romains reçut des propositions de l'acteur Marcel Levesque, lui-même en pourparlers avec les films Aubert, pour porter sa pièce à l'écran, et ne se décida que tardivement à en avertir Louis Jouvet, déjà engagé dans des tournées. Il composa même un scénario en cinq parties dont les deux premières introduisent l'histoire (Saint-Maurice avant l'ère médicale et la jeunesse de Knock). Le film fut tourné en 1925 avec la grande vedette du muet, Fernand Fabre, Iza Reyner reprenant son rôle aux côtés de Morton et de René Lefèvre.

2. 1933. Mise en scène de Louis Jouvet et Roger Goupillières. Adaptation de Georges Neveux. Musique de Jean Wiener. Knock : Louis Jouvet ; la dame en noir : Iza Reyner ; Mousquet : Robert Le Vigan ; le tambour : Pierre Larquey.

En reprenant son rôle fétiche — avec l'avènement du cinéma parlant en 1927, sa présence semblait indispensable — Louis Jouvet assurait également là sa première mise en scène au cinéma.

3. 1950. Mise en scène de Guy Lefranc ; direction artistique de Louis Jouvet. Adaptation de Georges Neveux. Musique de Paul Misraki. Knock : Louis Jouvet ; Parpalaid : Jean Brochard ; Mme Parpalaid : Jane Marken ; l'instituteur : Pierre Bertin ; le pharmacien : Pierre Renoir ; le tambour : Yves Deniaud.

Tourné un an avant la mort de Louis Jouvet.

BIBLIOGRAPHIE

I. Éditions de *Knock, ou le Triomphe de la Médecine.*

On recense en France une quinzaine d'éditions de *Knock,* dont plusieurs illustrées par des artistes de renom : Édouard Goerg (1928), Paul Colin (1931), André Collot (1940), Albert Dubout (1953), Jean Dratz (1960). Ne sont recensées ici, outre l'édition originale, que les éditions comportant une préface ou des commentaires.

Suivi de *M. Le Trouhadec saisi par la débauche,* éd. de la *N.R.F.*, 1924 (Théâtre de Jules Romains, t. I).

La Petite Illustration, n° 227 ; Théâtre, n° 135, *L'Illustration,* 24 janvier 1925.

Préface de Louis Jouvet, illustré par Jacques Touchet, Angers, J. Petit, 1948.

Suivi de *Donogoo* et de *M. Le Trouhadec saisi par la débauche,* éd. présentée par Pierre-Aimé Touchard, Club des Libraires de France 1960 (coll. « Théâtre », 14).

Suivi de *La Scintillante* et « Richesses théâtrales de Jules Romains », présentées par Olivier Rony et Georgette Totain, *L'Avant-Scène. Théâtre,* 1er-15 juillet 1973, n° 521-522 (« Spécial Jules Romains »).

II. *Autres textes de Jules Romains.*

Une bibliographie complète des œuvres de Jules Romains a été donnée dans *Livres de France,* t. XVII, n° 8, octobre 1966, p. 23-28.

Nous n'indiquons ici (par ordre alphabétique des titres) que les ouvrages utilisés dans la présente édition.

Ai-je fait ce que j'ai voulu?, Paris, Namur, Wesmael-Charlier, 1964 (« Les Auteurs juges de leurs œuvres »).
Amitiés et rencontres, Flammarion, 1970.
Le Bourg régénéré, conte de la vie unanime, Léon Vanier, 1906.
Les Copains, E. Figuière, 1913.
Correspondance Jacques Copeau-Jules Romains. Deux êtres en marche, éd. Olivier Rony, Flammarion, 1976 (Cahiers Jules Romains, 2).
Correspondance Louis Jouvet-Jules Romains. Extraits éd. par Olivier Rony, *in Bulletin des Amis de Jules Romains*, n° 47, mai 1987, p. 5-30.
Docteur Knock. Fragments de la doctrine secrète recueillis par Jules Romains. Accompagnés par Paul Colin de lithographies originales, éd. Manuel Brucker, 1949.
Donogoo-Tonka, ou les Miracles de la Science, « conte cinématographique », éd. de la N.R.F., 1920.
« Genèse et composition de *M. Le Trouhadec saisi par la débauche* », *in Revue d'Histoire du Théâtre*, 1985, 1, p. 83-95.
Les Hommes de bonne volonté, Flammarion, 1932-1946. 27 volumes.
« *J'entends les portes du lointain...* ». *Proses et poèmes de l'adolescence de Jules Romains (1899-1904)*, présentés par André Guyon, Flammarion, 1981 (Cahiers Jules Romains, 4).
Manuel de déification, E. Sansot, 1910 (Petite collection « *Scripta Brevia* »).
« Mes personnages de théâtre », *in Conferencia*, t. XXXI, 1er novembre 1937, p. 526-549.
Souvenirs et confidences d'un écrivain, A. Fayard, 1958 (« Les Quarante », 4).
Théâtre, éd. de la N.R.F.

1. *Knock, ou le Triomphe de la Médecine. M. Le Trouhadec saisi par la débauche*, 1924.
2. *Le Mariage de Le Trouhadec. La Scintillante*, 1925.
3. *Cromedeyre-le-Vieil. Amédée et les Messieurs en rang*, 1926.
4. *Le Dictateur. Démétrios*, 1926.
5. *Volpone*, en collab. avec Stefan Zweig, d'après Ben Jonson. *Le Déjeuner marocain*, 1929.
6. *Musse*, précédé de sa 1re version : *Jean Le Maufranc*, 1929.
7. *Boën, ou la Possession des biens. Donogoo*, 1935.

« Le Théâtre, traduction dramatique de la vie », *in Conferencia*, t. XXX, 1er novembre 1936, p. 525-537.
Le Vin blanc de La Villette (titre définitif de *Sur les quais de La Villette*), Gallimard, 1923.

III. *Ouvrages relatifs à Jules Romains et à* Knock.

BERRY (Madeleine) : *Jules Romains, sa vie, son œuvre*, Éd. du Conquistador, 1953.
BOURIN (André) : *Connaissance de Jules Romains, discutée par Jules Romains*, Flammarion, 1961 (« Portrait-Dialogue »).
– *Bulletin des Amis de Jules Romains*, Saint-Étienne, U.E.R. de l'Université de Saint-Étienne, nos 1-62, 1974-1992.
CHANCEREL (Léon) : « La Leçon et l'appel de la Commedia dell' Arte » *in Europe*, t. XL, avril-mai 1962, p. 44-52.
CHARRETON (Pierre) : « Dramaturgie et épistémologie dans *Knock* et *Donogoo* », *in Actes du Colloque Jules Romains*, Bibliothèque Nationale, 17-18 février 1978, Flammarion (Cahiers Jules Romains, 3), p. 131-161.
CUISENIER (André) : I. *Jules Romains et l'unanimisme ;* II. *L'Art de Jules Romains*, Flammarion, 1935 et 1948.
CUISENIER (André) : *Jules Romains, l'unanimisme et « Les Hommes de bonne volonté »*, Flammarion, 1969.
GUYON (André) : *Le Tourment de l'unanimisme. Les années de formation de Jules Romains (1885-1916)*. Thèse présentée devant l'Université de Paris IV, 1987.
– *Hommage à Jules Romains pour son soixantième anniversaire*, Flammarion, 1945.
JULES-ROMAINS (Lise) : *Les Vies inimitables. Souvenirs*, Flammarion, 1985.
– *Jules Romains*, Bibliothèque Nationale, 1978 (catalogue de l'exposition rédigé par Annie Angremy, Mauricette Berne, Noëlle Guibert, Jacqueline Melet-Sanson).
MÉRAVILLE (Marie-Aimée) : *Contes d'Auvergne*, éd. Érasme, 1956, pour « le Médecin de Turlande ».
NORRISH (J. P.) : *Drama of the group : a study of unanimism in the plays of Jules Romains*, Cambridge, Un. Press., 1958.
RAIMOND (Michel) : « État présent des études sur Jules Romains »,

in Information littéraire, 32e année, novembre-décembre 1980, n° 5, p. 190-193.

RONY (Olivier) : *Jules Romains, ou l'Appel au monde*, Laffont, 1993 (coll. « Biographies sans masques ».)

VASSE (Dr Paul) : *Jules Romains et les médecins. Essai de genèse de « Knock »*, Vigot frères, 1936.

IV. *Louis Jouvet.*

JOUVET (Louis) : *Témoignages sur le théâtre*, Flammarion, 1952 (Bibliothèque d'Esthétique. Série Notes d'artistes)

MIGNON (Paul-Louis) : *Louis Jouvet*, Besançon, éd. La Manufacture, 1991.

– *Revue d'Histoire du Théâtre*, numéro consacré à Louis Jouvet, n° 102, 1958, 4e année, Société d'Histoire du Théâtre.

NOTES

Page 32.

1. Cette date du 15 décembre qui figure également dans *La Petite Illustration* n'est pas celle communément retenue. Pour les principaux intéressés et pour la critique, *Knock* fut créé le 14 décembre, date de la générale, toujours citée dans les textes de Jules Romains et de Louis Jouvet et dans les programmes de reprise de la pièce.

Page 34.

1. Dans les notes de mise en scène du manuscrit définitif, Jules Romains précise : « On pourra suggérer ce mouvement, en faisant, au fond, se dérouler une toile sur deux tambours, et, à l'avant-scène, courir une bande simulant un talus de route, avec des buissons et des bornes hectométriques.

Il importe, d'ailleurs, que l'illusion ne soit pas obtenue. »

(Bibliothèque Nationale, dép. des Manuscrits, Fonds Jules Romains.)

Page 35.

1. Knock . le personnage s'appelle Lamendin, corrigé ensuite en Knock dans les feuillets 1 à 14 de l'acte I du premier jet de la pièce. *Ibidem.*

2. Torpédo : modèle ancien de voiture à carrosserie ouverte, avec souvent une capote repliable et des rideaux de côté.

3. Double-phaéton : le phaéton, véhicule également découvert, parfois muni d'une capote, offrait un siège avant pour le conducteur et deux sièges arrière. Le double-phaéton offrait une banquette arrière supplémentaire que remplacent ici les strapontins ajoutés

par les Parpalaid. Jules Romains parle d'expérience. En 1913, l'année de son permis de conduire, il avait acheté une « voiturette » à laquelle il aurait souhaité rajouter deux places supplémentaires, grâce à l'aide financière de ses parents, qui la lui refusèrent. (B. N., Mss, Fonds Jules Romains, correspondance familiale, lettre n° 143.)

Page 36.

1. Réminiscence des voyages en diligence de Louis Farigoule à son retour à Saint-Julien-Chapteuil pour les vacances : « Nous partons vers cinq heures, montés dans un véhicule, ironiquement dénommé diligence, faisant en moyenne *six* kilomètres à l'heure, et pour qui les coussins rembourrés en noyaux de pêche seraient un luxe inouï.

En revanche, le panorama est aussi admirable que la voiture l'est peu. » (*Dans la montagne,* carnet de notes d'août 1901 ; éd. André Guyon, *Proses et poèmes de l'adolescence de Jules Romains (1899-1904),* Flammarion, 1981 ; Cahiers Jules Romains, 4 ; p. 81-82.)

2. Zénaïde Fleuriot (1829-1890), auteur d'une bonne centaine de romans et nouvelles à tendance chrétienne et moralisatrice, connut un grand succès auprès du public féminin, instaurant une « littérature pour jeunes filles », qui devint très vite une référence caricaturale. Jules Romains, bien évidemment, ne fait là allusion à aucune œuvre précise de Zénaïde Fleuriot. Quelques décennies plus tard, les œuvres des très prolixes romanciers qui signaient Delly seront citées dans la même perspective.

Page 39.

1. Américain : faut-il rappeler que, dans les années 1920, le mythe américain évoque notamment les affaires rondement menées ? En 1919, dans *Donogoo-Tonka,* parmi les aventuriers de tout pays tentés par les champs d'or de la ville fictive, le groupe des Américains réunis dans un bar automatique « *expédie* une conversation à la fois discrète et mouvementée », éd. de la N.R.F., 1920, p. 71.)

Page 42.

1. Le vin de la comète : l'année 1811 resta célèbre par l'apparition d'une comète, par la chaleur de l'été et de l'automne et par l'excellence de son vin, conjoncture difficilement renouvelable.

2. Les années 1889, 1918 et 1957 (que ne pouvait citer Jules Romains !) connurent des épidémies mondiales de grippe qui touchèrent des millions de personnes. L'épidémie de grippe espagnole de 1918, la plus forte, provoqua vingt-deux millions de décès.

3. La Saint-Michel : 29 septembre. Échéance traditionnelle dans le monde rural des baux et des fermages.

4. Calendes grecques : locution familière, temps qui n'arrivera jamais, ou très lointain. Les calendes, premier jour du mois chez les Romains, ne correspondaient à rien dans le calendrier grec.

Page 46.

1. Claude Bernard (1813-1878). Physiologiste réputé. Préparateur en pharmacie à Lyon, puis étudiant en médecine à Paris en 1834, il créa la chaire de physiologie expérimentale à la Sorbonne en 1854 et publia de nombreux travaux dont une *Introduction à l'étude de la médecine expérimentale* (1865). Knock cite donc ici un des grands noms du monde scientifique et de surcroît un homme qui, comme lui, ne devint médecin que tardivement.

2. Officier de santé : institué sous le Consulat, par la loi du 19 ventôse an XI [10 mars 1803], le corps des officiers de santé était autorisé à pratiquer la médecine après de courtes études, sans avoir le diplôme de docteur en médecine. Il fut supprimé par la loi du 30 novembre 1892. Les officiers de santé en exercice à cette date furent toutefois autorisés à continuer leur pratique. Il existait sans doute encore quelques vieux officiers de santé en activité en 1923.

Page 47.

1. « Dames de France » : chaîne de grands magasins de confection, uniquement implantée en province.

Page 48.

1. La fascination de Knock pour les annonces médicales et pharmaceutiques qui fleurissaient dans les journaux de la fin du XIXe siècle et du début du XXe siècle, n'est pas sans rappeler celle du personnage de Quinette dans *Les Hommes de bonne volonté,* hanté par « le royaume chimérique de la Pharmacopée populaire », où il découvre la réclame de deux marques de « ceintures électriques », rivales. (*Le 6 octobre,* chap. IX, Flammarion, 1958, vol. I, t. I, p. 49.)

Page 54.

1. Scrutin de liste : opposé au scrutin uninominal où l'électeur ne vote que pour un seul candidat, le scrutin de liste permet le vote pour plusieurs candidats choisis sur une seule liste, ou, si le panachage est autorisé, sur différentes listes. La loi électorale en 1919, à peine modifiée en 1924, était au scrutin de liste départemental, avec représentation proportionnelle et prime à la majorité, régime compliqué et souvent contesté.

Page 55.

1. Limousine : voiture à carrosserie fermée où les voyageurs de l'arrière étaient entièrement protégés, la limousine offre donc de sensibles avantages sur la torpédo et le phaéton.

Page 56.

1. Pactole : rivière de l'ancienne Lydie (Asie Mineure) célèbre pour les paillettes d'or qu'elle roulait qui firent la richesse de Crésus. Le nom commun est devenu synonyme de source de richesses faciles à acquérir.

Page 61.

1. Ravachol (François Claudius Kœnigstein, *dit*), 1859-1892. Justicier anarchiste français, capable de défendre les opprimés, mais coupable de crimes effroyables, il fut guillotiné au terme de son procès devant la cour d'assises de la Loire ; sa renommée fut considérable. Personnage de légende, une chanson, *La Ravachole*, exalte ses exploits.

Page 76.

1. Laudanum : médication liquide à base d'opium, beaucoup utilisée dans les anciennes pharmacopées.

Page 80.

1. Personnage de l'imaginaire de l'écrivain, la dame en noir apparaît déjà dans *Les Copains*, où Bénin, seul dans son compartiment entre Paris et Nevers, rêve de compagnons de voyage couleur locale : « il me faudrait ici une vieille femme, un peu campagnarde [...] ; enfin une dame de trente-neuf ans, en demi-deuil, maigre et victime d'une constipation rebelle ». (Folio, p. 54.)

Page 83.

1. Faisceau de Türck-Meynert : dénomination ancienne des fibres temporo-pontiques. Tous les termes anatomiques employés par Knock sont rigoureusement exacts.

2. Colonne de Clarke : dénomination ancienne du noyau thoracique.

3. Multipolaires : neurones dont le corps cellulaire est entouré de plusieurs dendrites.

Page 86.

1. *Alpenstock :* mot allemand signifiant « bâton *(Stock)* pour les Alpes ». Long bâton ferré utilisé autrefois pour les excursions en montagne.

Page 90.

1. Névroglie : tissu conjonctif entre les neurones.

Page 91.

1. La radioactivité : découverte grâce aux travaux de Henri Becquerel en 1896, ce sont les recherches de Pierre et de Marie Curie qui firent de la radioactivité un élément fondamental des traitements thérapeutiques modernes, notamment dans la lutte contre le cancer. Là encore, Knock est à la pointe du progrès.

Page 92.

1. Poids public : établis dans toutes les localités où les besoins du commerce l'exigent, les bureaux du poids public, qui existaient déjà sous l'Ancien Régime, permettent de faire constater, moyennant une rétribution dûment fixée par l'Administration centrale, le poids exact d'un objet, ou d'une bête. C'était donc un haut lieu de la sociabilité des campagnes, notamment les jours de foire.

Page 96.

1. Comme un enterrement (et non pas « comme *à* un enterrement ») : l'absence de la préposition renforce l'unanimisme de la scène. Groupe de la vie unanime au même titre que la ville, le bourg, ou les copains, l'enterrement est au cœur du roman de 1911, *Mort de quelqu'un.* Aucune mise en scène ne tiendra compte de cette note, qui impliquerait un élargissement du plateau et un grand nombre de figurants

Page 107

1. *Fashionable :* mot anglais signifiant « à la mode, élégant », dérivé de *fashion,* « façon, coupe [de vêtement], mode » et donc du mot français *façon.* C'est surtout au XIXe siècle que *fashionable* fut employé par Chateaubriand, Balzac, Théophile Gautier, Gérard de Nerval...

2. Traitement opothérapique : emploi thérapeutique de tissus de glandes ou d'organes à l'état naturel, ou sous forme d'extraits. Déjà connue sous Hippocrate, cette méthode, fondée sur des pratiques empiriques, dut son renouveau aux découvertes de Brown-Séquard sur la sécrétion des glandes (1888). L'opothérapie était très à la mode au début du siècle.

Page 119.

1. Hammerless (de l'anglais *hammer,* marteau, et *less,* sans) : fusil de chasse à bascule et à percussion centrale, sans chien apparent

RÉSUMÉ DE *KNOCK*

ACTE I. L'action se passe dans les années 1920 sur la route qui mène de la gare d'une petite ville à Saint-Maurice, bourg montagnard.

Le docteur Parpalaid est venu avec sa femme chercher son successeur, le docteur Knock. Celui-ci a acheté par correspondance sa clientèle à Parpalaid qui, après des années paisibles, veut terminer sa carrière à Lyon.

Le contraste s'impose entre le couple roublard et naïf, qui laisse une clientèle presque nulle, et le nouveau médecin, Knock, énigmatique et sarcastique, qui devine bientôt qu'il a été roulé, mais trouve là un tremplin propice à ses expériences. Au cours du long entretien de cette scène unique, ponctué par les pannes du vieux tacot des Parpalaid, bien à l'image de ses propriétaires, Knock révèle les bribes d'un passé aussi déroutant que ses curieuses ambitions et ses conceptions neuves de la médecine. À travers ses extraordinaires questions sur Saint-Maurice et ses habitants, apparemment sans rapport avec la médecine, il laisse présager les bizarres perspectives d'une méthode qu'il appliquerait aussi bien, reconnaît-il, au sacerdoce ou à la politique. Les Parpalaid, désorientés, entrevoient avoir perdu une occasion de s'enrichir. Mais est-ce le but du docteur Knock lorsqu'il annonce : « l'âge médical peut commencer » ?

ACTE II. Le cabinet médical du docteur Knock au lendemain de son installation.

Les premières démonstrations des méthodes du médecin se déroulent en six scènes. Loin d'être la présentation de personnages pittoresques, elles sont le témoignage de l'emprise d'un être dominateur et sûr de lui sur toute la population d'un bourg malléable qu'il s'apprête à mettre au lit, pour son plus grand profit. Dans les trois premières scènes, Knock recherche ses alliés, immédiatement subjugués et flattés par la considération qu'il leur témoigne et par le gain qu'il leur laisse espérer. Le tambour de ville, chargé d'annoncer une consultation gratuite hebdomadaire le jour de marché, est le premier à expérimenter les talents quasi hypnotiques du médecin ; l'instituteur Bernard, chargé de la propagande médicale, ressent en même temps que l'honneur qui lui est fait, les symptômes de ces maladies terrifiantes et imaginaires qu'il doit débusquer pour ses concitoyens ; enfin le pharmacien Mousquet, un collaborateur, presque un confrère, dans un climat de connivence hypocrite, saisit tous les bénéfices qu'il tirera de la multiplication des malades et des ordonnances. À l'opposé des acteurs de cette mise en scène, les quatre patients qui bénéficient ensuite de la consultation gratuite, la dame en noir, la dame en violet et les deux gars, venus sous des prétextes divers, sont des proies faciles à ferrer et sortent convaincus de la gravité de leur état, sous les yeux de la foule des consultants de la salle d'attente, à son tour terrifiée.

ACTE III. L'hôtel de la Clef, trois mois plus tard.

Comme à l'acte I, c'est le docteur Parpalaid qui va cristalliser l'action. Revenu pour toucher ses premières échéances, l'agitation qui règne à l'hôtel du bourg, transformé en hôpital, le surprend, d'autant que successivement la bonne, la patronne, et le pharmacien lui révèlent, les deux derniers avec condescendance, l'ampleur du succès de son successeur. Saint-Maurice est en passe de devenir un haut lieu de la médecine, attirant une clientèle venue consulter le docteur Knock, dont la réputation s'étend de jour en jour. Knock fait enfin son entrée. Dans la scène VI, point culminant de la pièce, il dévoile, à l'aide de statistiques, de graphiques et de cartes, ses extraordinaires résultats et son but final, amener à « l'existence médicale » tout un pays. Les timides questions de son interlocuteur, oscillant entre l'incrédulité, l'envie et une vague crise de conscience, incitent Knock à se livrer à une véritable prise de position mégalomane sur ce canton recréé par lui. Parpalaid, ébloui, propose un échange de poste, que Knock rejette pour l'instant, en prenant à témoin ses plus chauds partisans, la patronne de l'hôtel et Mousquet, indignés. Dans un dernier sursaut l'ancien médecin parle de charlatanisme avant de tomber lui-même dans les filets de Knock, qui lui laisse entrevoir un état de santé inquiétant et lui prescrit le lit.

COLLECTION FOLIO THÉÂTRE

1. Pierre CORNEILLE : *Le Cid.* Édition présentée et établie par Jean Serroy.
2. Jules ROMAINS : *Knock* Édition présentée et établie par Annie Angremy.
3. MOLIÈRE : *L'Avare.* Édition présentée et établie par Jacques Chupeau.
4. Eugène IONESCO : *La Cantatrice chauve.* Édition présentée et établie par Emmanuel Jacquart.
5. Nathalie SARRAUTE : *Le Silence.* Édition présentée et établie par Arnaud Rykner.
6. Albert CAMUS : *Caligula.* Édition présentée et établie par Pierre-Louis Rey.
7. Paul CLAUDEL : *L'Annonce faite à Marie.* Édition présentée et établie par Michel Autrand.
8. William SHAKESPEARE : *La Tragédie du Roi Lear.* Édition de Gisèle Venet. Traduction de Jean-Michel Déprats.
9. MARIVAUX : *Le Jeu de l'amour et du hasard.* Préface de Catherine Naugrette-Christophe. Édition de Jean-Paul Sermain.
10. Pierre CORNEILLE : *Cinna.* Édition présentée et établie par Georges Forestier.
11. Eugène IONESCO : *La leçon.* Édition présentée et établie par Emmanuel Jacquart.
12. Alfred de MUSSET : *On ne badine pas avec l'amour.* Édition présentée et établie par Simon Jeune.
13. Jean RACINE : *Andromaque.* Préface de Raymond Picard. Édition de Jean-Pierre Collinet.
14. Jean COCTEAU : *Les Parents terribles.* Édition présentée et établie par Jean Touzot.
15. Jean RACINE : *Bérénice.* Édition présentée et établie par Richard Parish.

16. Pierre CORNEILLE : *Horace*. Édition présentée et établie par Jean-Pierre Chauveau.
17. Paul CLAUDEL : *Partage de Midi*. Édition présentée et établie par Gérald Antoine.
18. Albert CAMUS : *Le Malentendu*. Édition présentée et établie par Pierre-Louis Rey.
19. William SHAKESPEARE : *Jules César*. Préface et traduction d'Yves Bonnefoy.
20. Victor HUGO : *Hernani*. Édition présentée et établie par Yves Gohin.
21. Ivan TOURGUÉNIEV : *Un mois à la campagne*. Édition de Françoise Flamant. Traduction de Denis Roche.
22. Eugène LABICHE : *Brûlons Voltaire !* précédé de *Un monsieur qui a brûlé une dame, La Dame aux jambes d'azur, L'Amour, un fort volume, prix 3 F 50 C, La Main leste, Le Cachemire X. B. T.* Édition présentée et établie par Olivier Barrot et Raymond Chirat.
23. Jean RACINE : *Phèdre*. Édition présentée et établie par Christian Delmas et Georges Forestier.
24. Jean RACINE : *Bajazet*. Édition présentée et établie par Christian Delmas.
25. Jean RACINE : *Britannicus*. Édition présentée et établie par Georges Forestier.
26. GOETHE : *Faust*. Préface de Claude David. Traduction nouvelle de Jean Amsler. Notes de Pierre Grappin.
27. William SHAKESPEARE : *Tout est bien qui finit bien*. Édition de Gisèle Venet. Traduction nouvelle de Jean-Michel Déprats et Jean-Pierre Vincent.
28. MOLIÈRE : *Le Misanthrope*. Édition présentée et établie par Jacques Chupeau.
29. BEAUMARCHAIS : *Le Barbier de Séville*. Édition présentée et établie par Françoise Bagot et Michel Kail.
30. BEAUMARCHAIS : *Le Mariage de Figaro*. Édition présentée et établie par Françoise Bagot et Michel Kail.
31. Richard WAGNER : *Tristan et Isolde*. Préface de Pierre Boulez. Traduction nouvelle et édition d'André Miquel.
32. Eugène IONESCO : *Les Chaises*. Édition présentée et établie par Michel Lioure.

33. William SHAKESPEARE : *Le Conte d'hiver*. Préface et traduction d'Yves Bonnefoy.

34. Pierre CORNEILLE : *Polyeucte*. Édition présentée et établie par Patrick Dandrey.

35. Jacques AUDIBERTI : *Le mal court*. Édition présentée et établie par Jeanyves Guérin.

36. Pedro CALDERÓN DE LA BARCA : *La vie est un songe*. Traduction nouvelle et notes de Lucien Dupuis. Préface et dossier de Marc Vitse.

37. Victor HUGO : *Ruy Blas*. Édition présentée et établie par Patrick Berthier.

38. MOLIÈRE : *Le Tartuffe*. Édition présentée et établie par Jean Serroy.

39. MARIVAUX : *Les Fausses Confidences*. Édition présentée et établie par Michel Gilot.

40. Hugo von HOFMANNSTHAL : *Le Chevalier à la rose* . Édition de Jacques Le Rider. Traduction de Jacqueline Verdeaux.

41. Paul CLAUDEL : *Le Soulier de satin*. Édition présentée et établie par Michel Autrand.

42. Eugène IONESCO : *Le Roi se meurt*. Édition présentée et établie par Gilles Ernst.

43. William SHAKESPEARE : *La Tempête*. Préface et traduction nouvelle d'Yves Bonnefoy. Édition bilingue.

44. William SHAKESPEARE : *La Tragédie du roi Richard II*. Édition de Margaret Jones-Davies. Traduction nouvelle de Jean-Michel Déprats. Édition bilingue.

45. MOLIÈRE : *Les Précieuses ridicules*. Édition présentée et établie par Jacques Chupeau.

46. MARIVAUX : *Le Triomphe de l'amour*. Édition présentée et établie par Henri Coulet.

47. MOLIÈRE : *Dom Juan*. Édition présentée et établie par Georges Couton.

48. MOLIÈRE : *Le Bourgeois gentilhomme*. Édition présentée et établie par Jean Serroy.

49. Luigi PIRANDELLO : *Henri IV*. Édition de Robert Abirached. Traduction de Michel Arnaud.

50. Jean COCTEAU : *Bacchus*. Édition présentée et établie par Jean Touzot.

51. John FORD : *Dommage que ce soit une putain*. Édition de Gisèle Venet. Traduction nouvelle de Jean-Michel Déprats.

52. Albert CAMUS : *L'État de siège*. Édition présentée et établie par Pierre-Louis Rey.

53. Eugène IONESCO : *Rhinocéros*. Édition présentée et établie par Emmanuel Jacquart.

54. Jean RACINE : *Iphigénie*. Édition présentée et établie par Georges Forestier.

55. MARIVAUX : *La Double Inconstance*. Édition présentée et établie par Françoise Rubellin.

56. Jean RACINE : *Mithridate*. Édition présentée et établie par Georges Forestier.

57. Jean RACINE : *Athalie*. Édition présentée et établie par Georges Forestier.

58. Pierre CORNEILLE : *Suréna*. Édition présentée et établie par Jean-Pierre Chauveau.

59. William SHAKESPEARE : *Henri V*. Édition de Gisèle Venet. Traduction nouvelle de Jean-Michel Déprats. Édition bilingue.

Composition Bussière
et impression Bussière Camedan Imprimeries
à Saint-Amand (Cher), le 10 mars 1999.
Dépôt légal : mars 1999.
1er dépôt légal dans la collection : février 1993.
Numéro d'imprimeur : 991178/1.
ISBN 2-07-038655-4./Imprimé en France.

91142